LAME DE FOND

du même auteur
chez le même éditeur

CRONOS
AU FOND DE L'INCONNU POUR TROUVER DU NOUVEAU
IN MEMORIAM
LE COMPLEXE DE CALIBAN
CONTE DE L'AMOUR BIFRONS
KRISS, *suivi de* L'HOMME DE PORLOCK
PERSONNE
AUTRES JEUX AVEC LE FEU
LES AUBES
LETTRE MORTE
VOIX
LES TROIS PARQUES
LES DITS D'UN IDIOT
CALOMNIES

dans la collection « Titres »

LES ÉVANGILES DU CRIME
TU ÉCRIRAS SUR LE BONHEUR
LES TROIS PARQUES
LETTRE MORTE
LES DITS D'UN IDIOT

aux éditions Jean-Michel Place

MARINA TSVÉTAÏEVA. COMMENT ÇA VA LA VIE ?

aux éditions Nil
dans la collection « Les Affranchis »

À L'ENFANT QUE JE N'AURAI PAS

LINDA LÊ

LAME DE FOND

CHRISTIAN BOURGOIS ÉDITEUR ◊

À mes sœurs

Au cœur de la nuit

Van

Je n'ai jamais été bavard de mon vivant. Maintenant que je suis dans un cercueil, j'ai toute latitude de soliloquer. Depuis que le couvercle s'est refermé sur moi, je n'ai qu'une envie : me justifier, définir mon rôle dans les événements survenus, donner quelques clés pour comprendre les tenants et les aboutissants de ce qui n'est qu'un fait divers. Je n'ai pas un penchant au regret, mais il me faut faire mon examen de conscience, si inutile qu'il soit désormais. Le souvenir que je laisse est celui d'un partisan des solutions hybrides, habitué à ajourner, soucieux de n'exaspérer personne, de ne pas empirer les choses en manquant de diplomatie. Je ne suis pas un de ces vieux hiboux formalistes, ni un de ces faiseurs d'embarras toujours persuadés d'être supérieurs à tout le monde. Non, j'ai veillé à ne pas incommoder mes proches, pas seulement par horreur des dissensions domestiques, mais parce que je ne suis pas un homme à problèmes. Rien n'est aussi précieux pour moi que la paix de l'esprit, et j'aurais tant voulu atteindre à la quiétude malgré les coups durs. J'en ai connu, des tempêtes sous mon crâne. Peut-être dans une vie antérieure ai-je commis des actions condamnables, et j'ai dû payer ces fautes pendant mes cinq décennies d'existence. Je n'ai aucune croyance, pas plus en un Dieu châtieur qu'en un quelconque Éveillé plein de mansuétude. Les enseignements bouddhistes m'ont été sans profit, je n'ai retenu de mes études des Sermons de Bossuet que des leçons de style. Ma propension au spiritualisme, en dépit de mon irréligion, m'a amené à accorder la primauté aux questions qui dépassent l'entendement humain. J'ai tenté de percer les mystères de la téléologie, demandé aux sensualistes de me procurer la jouissance de l'esthétique, aux romantiques de me douer d'une aspiration vers l'infini. J'ai incorporé la substantifique moelle des proses les plus roboratives pour gagner en force d'âme mais, tel un serpent qui se mord la queue, j'ai échangé des doutes contre une science guère susceptible de m'aider à démêler mes écartèlements. J'ai cultivé assidûment les lettres dans l'espoir d'y trouver, sinon du bonheur, du moins un vif goût pour les surprenantes inventions. Il m'en reste quelques débris fragmentaires, étoiles distantes qui clignotent encore – dans cette galaxie, Vautrin voisine avec Mme Verdurin, Molloy avec Bardamu, Ah Q avec Sganarelle, Achab avec Salomé, Philoctète avec Ophelia… Liste non exhaustive à laquelle il conviendrait d'ajouter les personnages secondaires que j'ai eu plaisir à classifier (travail de bénédictin parfaitement absurde). Mais tout s'est mélangé dans ma pauvre tête.

Ma tâche de correcteur, qui me permettait de subsister et que je prenais très à cœur les premiers temps, au lieu de développer ma mémoire, a entraîné son altération. Les manuscrits et les épreuves qui

étaient mon labeur quotidien ont contribué à modi-
fier mon caractère, de plus en plus pointu, alors
même que ma sûreté dans l'observation des règles
de grammaire s'avérait chaque jour déplorablement
défaillante. J'étais moins attentif aux impropriétés,
aux solécismes, aux licences poétiques boiteuses. Je
laissais passer des coquilles et des doublons. Les éditeurs qui m'appointaient n'y avaient pas fait attention, avaient continué à m'expédier des copies et,
comme les petites mains des ateliers de couture,
je les avais ornées de mes retouches, sans trop de
cœur à l'ouvrage. À mes débuts, j'étais un ayatollah
du purisme, je ne tolérais ni les anglicismes, ni les
à-peu-près, ni l'abus de néologismes, ni les incor-
rections sous prétexte de modernisme. Je criais au
scandale quand un auteur ne se pliait pas à la discipline de la syntaxe, ponctuait n'importe comment, s'autorisait des métaphores prétendument har-
dies mais incohérentes. Je biffais et redressais les
phrases quand les pronoms relatifs se suivaient à la
file. Puis, peu à peu, j'avais cochonné ma besogne.
Je faisais tout en quatrième vitesse, ne m'abîmais
plus la vue en veillant jusqu'à point d'heure pour
soigner chaque détail. La plupart des récits que je
corrigeais, indigestes, ne valaient pas la peine d'être
améliorés, mais de temps à autre j'avais droit à des
pages sapides, comme des oranges gorgées de soleil.
J'étais à mon affaire lorsqu'un modèle de concision
abrégeait, condensait ses périodes, ou bien lorsqu'un
texte débordait de termes rares, d'argotismes obso-
lètes. Moi-même je disais volontiers *calembredaines*
plutôt que sottises, *cela ne vaut pas un fifrelin* au lieu
de cela ne vaut pas un clou, *être en renaud* pour être

furibond, mais aussi *s'embéguiner*, *mignoter*, *jaboter*, *avoir du foin dans ses bottes*... Bref, pour ne pas parler comme un vieux, j'étais plus *out* que *in*, pas du tout à l'avant-poste de la branchitude.

Peut-être les étrangers (j'en suis un), quand ils ont appris une langue non pas sur le tas mais en lisant des classiques, sont-ils plus sensibles à certaines tournures désuètes. Ils se figurent que dans leur bouche, elles ne paraissent pas anachroniques mais sont le sceau d'une acculturation réussie. Leur ramage dément leur faciès. Leur maîtrise des finesses de la langue d'adoption est la preuve par neuf d'un enracinement dans la terre d'asile. Non contents de ressusciter l'emploi de tours anciens, ils injectent dans leur conversation des vitamines, de savoureuses expressions populaires qui authentifient leur prédilection pour les idiotismes. Moi qui ai usé mes fonds de culotte sur les bancs du lycée français de Saïgon, j'ai été abreuvé de poésie racinienne, puis initié par des camarades à l'usage du verlan, les préciosités ne représentaient pas une difficulté pour moi, le poissard ne m'était pas obscur, je savais l'idiome bigarré des cités avant même d'arriver à Paris.

Je suis enterré au cimetière de Bobigny. J'avais eu naguère la chance d'obtenir des places pour des spectacles à la Maison de la Culture de cette banlieue, des mises en scène de Deborah Warner et de Lev Dodin. Au retour d'une de ces soirées, j'avais dit à Lou, ma femme, que j'aimerais, quand je lâcherais la rampe, avoir ma tombe près de ce théâtre. Elle m'a pris au mot : c'est à deux pas des tours balbyniennes que j'ai ma stèle. Il pleuvait à seaux le jour de mon inhumation, un mardi d'octobre. L'air était frisquet, un fort vent soufflait, il n'y avait ni fleurs ni couronnes, et ils n'étaient qu'une poignée à m'accompagner à ma dernière demeure. Ulma, l'éternellement jeune Ulma, vêtue d'une robe sable et d'un trench beige, semblait, malgré ses talons hauts, toute menue sous son immense parapluie. Trois voisins d'immeuble, ceux que j'avais invités à ma pendaison de crémaillère, au temps où je m'efforçais encore d'établir de bonnes relations avec autrui, étaient là. Les éditeurs pour lesquels j'avais œuvré s'étaient sentis tenus de déléguer leurs attachés de presse. Deux collègues, linguistes émérites, avaient fait le déplacement. Ma femme, en tailleur anthracite et gabardine grise, avait les yeux pochés et un tic nerveux au coin des lèvres. Hugues, mon frère d'armes, le janséniste de la littérature, prononça un discours sur moi, l'exilé qui possédait mieux le français que les autochtones (c'était beaucoup dire), le liseur sagace (devenu très difficile dans le choix de ses lectures, aurait-il dû préciser), le correcteur au stylisme poussé à l'extrême (c'était ma réputation, surfaite), le travailleur stakhanoviste (il fallait bien l'être, j'avais un salaire aux pièces), l'admirable épistolier (mais pas un écrivain manqué), dont les lettres faisaient la joie de ses correspondants, le causeur laconique et ne s'écoutant pas trop parler, le cinéphile, fervent de Murnau et de Dreyer, mais aussi d'Eustache et de Cassavetes, de Kiarostami et de Sokourov (que de dimanches passés à revoir leurs films !), le citoyen de l'univers dénué d'idées préconçues (gloire aux traducteurs qui m'avaient délivré des visas pour les antipodes), le bénévole consacrant ses moments de loisir à l'aménagement d'un bibliobus (j'avais la faiblesse de vouloir combattre l'illettrisme de certains immigrés), l'ami fidèle toujours disposé à donner un coup de main (mon péché mignon était de me croire nécessaire), le mari qui prenait garde à rompre l'inévitable uniformité de la vie conjugale (mon laudateur n'avait pas toutes les cartes en main), le père ni trop *cool* ni trop *chiatique*, comme aurait dit ma fille (Hugues, le dix-huitiémiste, utilisait des adjectifs plus recherchés, mais un rien inappropriés). En résumé, le monde perdait avec moi un excellent sujet, ma disparition créait un vide que personne ne serait en mesure de combler, l'édition, privée d'un de ses meilleurs éléments, ne pourrait me remplacer, ma famille était décapitée…

Ensuite, ma fille, Laure, dans son accoutrement gothique, lut un poème de Pierre Reverdy, « Au saut du rêve », qui commençait ainsi :

Comment me suis-je appris moi-même
Après avoir vu passer mon propre enterrement
Cette nuit-là
Mes deux mains sur la poitrine en croix
J'assistais à la cérémonie
Et très péniblement je supportais l'idée de ma mort.

Elle faisait peine à voir, la petite Laure, avec son long manteau sombre, son pull informe qui recouvrait mal le piercing à son nombril, son pendentif pentacle, sa mèche pourpre dans sa chevelure couleur aile de corbeau, ses ongles et ses lèvres peints en noir. Ses larmes faisaient fondre son rimmel qui se répandait en traînées sur ses joues. Elle avait fourragé toute une matinée dans ma bibliothèque, feuilletant les anthologies, avant de se décider pour les vers de Reverdy. Elle aurait probablement préféré quelque chose de plus électrique, si cela n'avait dépendu que d'elle, elle aurait récité les paroles de l'album de Marilyn Manson, *Holy Wood (In the Shadow of the Valley of Death)* :

> *We have no future*
> *heaven wasn't made for me*
> *we burn ourselves to hell*
> *as fast as it can be...*

Mais bon, elle n'ignorait pas que je n'appréciais le satanisme qu'à dose homéopathique, et en cette journée particulière, elle mettait de l'empressement à me plaire, elle se rappelait quand même nos instants de complicité. Il y avait eu, quelques mois auparavant, du tirage entre nous, je lui avais reproché de sécher ses cours, de rentrer à des heures indues, de bachoter sans tirer philosophie de quoi que ce soit, de me regarder d'un œil bovin dès que je lui tendais un livre hors programme, de s'esquiver sitôt que je soulevais des points de désaccord, de tout rejeter en bloc, de faire, comme tant d'autres, une crise d'adolescence : je n'y coupais pas de quelques démêlés. Du haut de ses dix-sept ans, elle m'avait répondu que j'étais trop barbant et trop vieux (je venais d'avoir quarante-six ans, pour elle je relevais presque de la gériatrie), qu'elle était vaccinée contre mes déprimantes théories existentielles, elles lui serviraient peut-être quand elle aurait soixante balais, mais telle qu'elle était maintenant, rose à peine éclose, elle s'en passait bien. J'étais aussi prié de la dispenser de mes vannes. Elle ne disait plus *papa*, m'appelait par mon prénom, *Van*, et s'amusait à me répéter : « N'ouvre pas les vannes de tes vannes, Van. » Et elle me serait reconnaissante si je pouvais ne pas être comme un crin lorsque je découvrais qu'elle était allée à une rave party, qu'elle roulait des joints, copinait avec un punk, s'habillait grunge certains jours, les jours suivants s'achetait un triplex et des rangers, n'avait dans toutes les matières qu'un savoir élémentaire, recopiait pour ses dissertations les bios affichées sur la Toile, truandait au bac blanc, estropiait les noms des romanciers lus à la va-vite, se nourrissait de nouvelles fantastiques de quatre sous, d'histoires de vampires et de morts-vivants, tenait pour de la gnognote ce qu'elle ne pigeait pas, se faisait tirer l'oreille avant d'accepter de réviser sa géo, se déguisait en courant d'air les après-midi où elle était censée repasser les chapitres sur le colonialisme, bâillait quand je lui projetais des longs métrages muets, trouvait Griffith pompier, Stroheim impayable avec son monocle et ses scénars délirants, n'allait au cinéma que pour voir des films catastrophe, envoyait à un fanzine des couplets qui étaient des resucées des chansons d'un groupe adulé, souhaitait entrer à l'École des Beauxarts, mais ne s'intéressait qu'au Pop Art et un peu à l'expressionnisme allemand, ne fréquentait les musées que si je l'y emmenais, renâclait si je l'incitais à parcourir les catalogues des expositions, me suspectait de *misonéisme*, mot qu'elle avait triomphalement sorti de son chapeau pour diagnostiquer mon hostilité envers les modernes. Je me défiais des modes, donc je n'étais pas *câblé*, je refusais le jeunisme, donc j'étais un dinosaure. Bien que je sois abonné à un hebdomadaire gauchisant, que j'aie des sympathies pour les ligues révolutionnaires, j'étais selon elle un vieux rétrograde, parce que j'avais dans le pif les forts en gueule, staliniens ayant viré maoïstes, puis électoralistes à courte vue, parce que je n'applaudissais pas les excités qui ne faisaient que caillasser les CRS – une vingtaine de voitures brûlées, trois abribus cassés, et ils s'estimaient déjà satisfaits. Non, moi, j'exigeais plus : une vraie prise de pouvoir par les habitants des villes-dortoirs, un déferlement de sang-mêlé en Gaule, de quoi troubler le sommeil des adversaires du métissage.

Je prêchais pour ma paroisse, puisque moi, le niakoué, j'avais épousé Lou, une Bretonne pure souche, très blanche de peau, et que nous avions eu ensemble une gamine au teint d'albâtre, au nez grec, mais aux cheveux charbonneux et aux yeux bridés. De m'être marié avec Lou m'empêchait de tomber dans le piège du communautarisme de repli, prédestination des sans-patrie quand ils souffrent d'isolement. Quoique j'aie loué un appartement à Belleville, quartier où les Asiatiques sont légion, je comptais parmi mes intimes un Maghrébin (Rachid, un syntacticien très érudit), le fils d'un Ashkénaze qui se disait cosmopolite (le cher Hugues), mais pas un seul compatriote. Mes voisins étaient des Pakistanais, des Kosovars, des Sénégalais... À l'heure du dîner, toutes sortes d'épices embaumaient de leurs arômes les corridors. Des enfants café-au-lait jouaient dans l'arrière-cour, sur chaque palier s'amoncelaient des caisses où avaient été entreposés des méthodes Assimil, des dictionnaires créoles, des policiers maculés, des romans Harlequin, des DVD piratés, mélos bollywoodiens ou soap-opéras, des CD d'électro, des frusques et de vieilles chaussures. Comme les logis étaient exigus, c'était, pour les locataires, un moyen de se défaire de ce qui ne leur servait plus. Tous ces objets étaient à la disposition des autres résidents et des visiteurs. Chacun piochait dans les caisses au passage, emportait un bouquin et deux ou trois disques, puis les remettait en place quand il s'en lassait. C'était un pêle-mêle de vieilleries dans la cage d'escalier. De loin en loin, quelqu'un d'Emmaüs nous débarrassait de ces fourre-tout, ou les occupants de l'immeuble les bradaient lors d'un vide-greniers. Avec le produit de leur vente, ils chinaient à Clignancourt, en rapportaient un coffret en bois sculpté, une veste rétro, des poches d'occasion, des bidules pour touristes, remisés presque aussitôt dans des cartons empilés près des portes d'entrée.

En fin de semaine, du rez-de-chaussée jusqu'au sixième étage, où je logeais, des flots de musique, des variétés, du rap ou du raï, s'écoulaient à travers les murs, si fins qu'on entendait même le gargouillis des canalisations de l'appartement voisin. Un mauvais coucheur aurait déjà protesté contre ces nuisances. Mais aucun d'entre nous ne se plaignait de la promiscuité. Je mettais des boules Quies ou j'écoutais Ligeti au casque, Laure augmentait le volume de sa mini-chaîne, noyant sa mère sous un torrent de death metal, avant que j'intervienne, lui demandant de baisser le son et de préparer ses interros, quitte à passer, encore une fois, pour un pion.

Première de la classe en primaire, elle avait commencé, dès le collège, à n'avoir plus un bon classement et à ne plus blairer les élèves les plus brillantes.

Abandonnant ses tenues de petite fille sage, elle se serait attifée de façon carnavalesque pour bien marquer sa différence si Lou ne s'y était vigoureusement opposée. Ma femme ne sacrifiait pas à ce qui était en vogue. D'une élégance discrète, comme il sied à une directrice d'école, elle se maquillait peu, ne colorait que légèrement ses lèvres, attachait ses cheveux châtains avec un nœud noir, portait des lentilles plutôt que ses lunettes d'écaille semblables à des loupes, assortissait ses foulards à ses chandails aux teintes pastel, ses bottines à ses imperméables, n'avait pour tout bijou que son alliance, n'aimait ni le strass ni les broderies, ne choisissait pas des justaucorps fluorescents pour aller faire du yoga, n'avait dans son armoire que des habits indémodables. D'aucuns pourraient dire que tout chez elle était d'un classicisme tristounet, mais moi je goûtais la sobriété de sa mise.

À notre rencontre, vingt ans auparavant, quand elle sortait de Normale, j'avais été frappé par son absence de fantaisie. Elle faisait tout avec une régularité d'horloge, le lundi se lançait dans un jogging, le mercredi allait à la piscine, tous les deux mois au hammam, ne voyageait pas, détestait l'imprévu (contrairement à Ulma, ma belle Ulma qui, je devais le constater plus tard, s'irritait lorsque tout était réglé d'avance), n'était partie qu'une fois en randonnée pédestre avec un bonnet de nuit, lisait exclusivement des essais jargonneux et des contes pour enfants (Ulma, elle, était une proustienne depuis toujours), ne fumait ni ne buvait (quand moi j'avais perpétuellement une clope au bec et une éponge dans le gosier), commandait invariablement les mêmes plats au restaurant, et jamais de mets exotiques (qui flattaient mon palais), chez elle ne mangeait que du muesli, des œufs mollets, des carottes râpées ou de la purée de céleri et, de temps en temps, infraction à sa diététique, du bœuf bourguignon (je m'étais loué de changer ces habitudes).

Me séduisaient ses yeux bleu turquoise, sa nuque frêle et sa silhouette mince. Au fil des années, elle s'était adaptée à mon genre de vie, pas aussi routinier que le sien. Elle avait fait avec moi une croisière sur le Nil, une tournée des capitales européennes, un circuit des villes d'Amérique latine... Souvent raides comme des passe-lacets après ces séjours, nous évoquions nos pérégrinations devant une assiette de macaronis, au menu tous les soirs jusqu'à ce que notre solde ne soit plus débiteur. Laure n'était pas encore née, nos dépenses courantes n'avaient rien d'excessif, si bien que nous pouvions garder de l'argent en réserve pour des week-ends à Port-Bou ou ailleurs. Nous descendions dans des hôtels de troisième catégorie, faisions tout à pied pour économiser des tickets de transport, déjeunions sur le pouce au zinc des snacks qui proposaient de la lavasse et des sandwiches rassis à des prix imbattables. En compensation, nous tirions notre flemme, piquions une tête dans une mer chaude, explorions des grottes, contemplions de rougeoyants couchers de soleil, sirotions des vins du pays à des terrasses, flânions dans des pinacothèques, parmi des chefs-d'œuvre, bourrions nos bagages de monographies d'artistes contemporains et, à la fin du séjour, gaspillions nos derniers billets en nous régalant de spécialités du coin. Ces vacances avaient tôt fait de nous ruiner. Je ne gagnais pas beaucoup, plus de la moitié de la paie que Lou, encore institutrice, touchait, était destiné au loyer, même si nous n'avions, rue de Charonne, qu'un petit studio. Lorsque nous nous offrions quatre jours de villégiature, je devais tout mener tambour battant, rendre les copies très vite pour en avoir d'autres. Et c'est seulement grâce à un modeste héritage, reçu au lendemain du décès d'un oncle de Lou, qu'elle et moi avions pu visiter l'Amérique du Sud.

Après la naissance de Laure, nous avions emménagé à Belleville, Lou était redevenue casanière. Notre couple se délitait quelque peu, nous nous disputions à propos de bottes, ses manies m'agaçaient, elle me traitait de drogué et pochetron, parce que je fumais et biberonnais. Elle avait rejoint les adeptes du yoga, repris le chemin de la piscine, je ne faisais aucun exercice, sans pour autant forcir, je restais aussi sec qu'un hareng. Laure servait de tampon entre nous, quand le ton montait. « Pas devant la petite ! » était l'exclamation qui arrondissait les angles. Chacun s'en retournait à ses occupations, hésitant à divorcer, sans franchir le Rubicon. Nous étions des parents responsables, nous ne voulions pas que Laure soit sans foyer, ballottée entre son père et sa mère.

Fouler le sol de régions lointaines nous aurait fait du bien. Mais nous ne nous évadions que rarement, maintenant qu'il y avait une bouche de plus à nourrir. L'été, lorsque nous avions besoin d'un bol d'air, nous allions, dans notre antique Austin, à la campagne, chez une amie de Lou qui avait retapé un mas. Je m'y ennuyais, je construisais des maquettes pour Laure, bouquinais vaguement, somnolais dans un hamac, n'émergeais qu'au moment de l'apéritif, me couchais avec les poules, avais toujours hâte de rentrer à Paris, de retrouver les bistrots, ceux de la rue Oberkampf, où je me réfugiais désormais pour corriger les épreuves. Laure grandissait, Lou et moi n'étions plus de jeunes amoureux. Je la désirais encore, son corps n'était pas déformé par des bourrelets disgracieux, sa taille, que des jupes ajustées mettaient en valeur, n'avait pas épaissi, ses joues ne s'étaient pas empâtées, ses bras étaient toujours d'une attrayante rondeur, ses pattes-d'oie n'indiquaient pas son âge (mais il se dégageait d'elle un parfum de femme mûre, quand Ulma avait conservé, à près de quarante ans, une grâce enfantine, à la Lilian Gish). Lou respirait la santé, alors que j'avais les tempes argentées, le front sillonné de rides, le foie détraqué par les bitures, les poumons encrassés à force de fumer même la nuit. Elle suivait un régime végétarien, j'étais carnivore. Elle avalait des infusions le soir pour bien dormir, je prenais du Lexomil. J'étais un pilier de bars où, près d'autres oiseaux de nuit, je buvais en suisse, elle allait dans un salon de thé littéraire, où l'on dégustait du Darjeeling et des macarons, entre deux lectures de haïkus. Elle déployait une grande activité dès l'aube, rangeant la maison jusqu'à ce que tout soit nickel, j'étais un lève-tard désordonné, dont le bureau croulait sous une tonne de paperasses posées en vrac. Très carrée, elle allait droit au but, pendant que je mettais toujours du temps à réagir. Étions-nous conviés quelque part, comme de juste, je me prenais les pieds dans le tapis, elle réparait mes impolitesses. Sociable (à l'inverse d'Ulma, peu familière), elle était bien accueillie partout, moi avec mes gros sabots, mes allusions sibyllines, je ne faisais rire que Rachid et Hugues. Elle ne dédaignait pas les fantasias, je ne m'y rendais que contraint et forcé (tout comme Ulma, qui ne partait jamais en java). Elle s'informait des parutions du jour (quand Ulma relisait sans cesse *La Recherche*), moi, par principe, je ne m'encombrais jamais de ce qui n'était pas passé à travers le filtre du temps. Elle tenait les comptes avec une rigueur de trésorier (son sens de l'épargne contrastait avec l'imprévoyance d'Ulma qui, même à l'époque où elle n'avait pas un liard, ne songeait pas au lendemain), j'étais un dissipateur, dès lors que nous ne faisions plus de voyage, et sans elle, j'aurais englouti toutes nos économies. Elle s'était retirée des organisations humanitaires auxquelles elle avait adhéré dans sa jeunesse, désapprouvant leur incurie supposée, je persistais, à bord de mon bibliobus, à alphabétiser des clandestins. Elle votait centriste, j'étais un abstentionniste tendance anar. Les débats politiques que j'avais avec Rachid, l'altermondialiste, n'étaient pour elle que des palabres de café du Commerce. Quand Hugues et moi engagions un entretien sur l'actualité, elle nous soupçonnait d'être en fait des réacs et de juger de tout comme les aveugles des couleurs. Un gouffre se creusait entre elle et moi. Nous étions aussi divisés sur la façon d'éduquer notre fille. Bien que directrice d'une école publique, elle me suggérait de mettre notre princesse dans un bahut privé, où elle serait mieux surveillée, j'avançais qu'en s'acoquinant avec des fils à papa, elle ne progresserait pas, mais risquerait d'acquérir des manières de snobinette. Elle surprotégeait Laure, je lui ouvrais les yeux sur les désolantes réalités. Elle tenait à ce qu'elle reste enfant unique, je n'aurais pas dit non à la venue d'un deuxième gamin, qui aurait été tout mon portrait, tant au physique qu'au moral.

Benjamine d'une fratrie nombreuse, Lou ne s'entendait pas avec ses frères du premier lit. C'était, dans la maison familiale à Quimper, l'antipathie entre elle, poids plume, et ses aînés, balèzes toujours prêts pour la corrida. Aussi, quand elle s'unit à moi, elle forma le vœu de n'avoir qu'un seul bout de chou, et une demoiselle, par pitié ! Elle disait qu'elle en avait soupé de la domination masculine, et se montrait solidaire avec Laure chaque fois que j'osais lui citer en exemple un garçon plus calé qu'elle. Toutes deux arguaient qu'il prenait des cours particuliers et que son père, ingénieur, le poussait, tandis que je ne déboursais pas un centime pour des stages de maths, mais me bornais à criticailler. Après quoi le torchon brûlait, Lou m'accusait d'être un macho égocentrique. Laure prétendait que les profs avantageaient les petits boutonneux sans imagination mais qui s'écrasaient, au grand dam des inventives en colère comme elle. La brouille s'amplifiait de jour en jour, les yeux de Lou lançaient des éclairs lorsque je tentais un raccommodement, Laure en profitait pour obtenir de sa mère la permission d'aller dans une discothèque sans avoir fini ses révisions, de sorte qu'elle était repêchée de justesse à l'oral. Non qu'elle soit une truffe, elle avait du reste d'assez bonnes notes en français et de bonnes notes en arts plastiques, mais pour elle le lycée était un étouffoir, si elle ne s'en échappait pas, elle perdrait sa créativité, qui ne se réduisait pas à avoir une allure bizarroïde : elle faisait, avec un certain talent, j'en convenais, des photos en noir et blanc de rues sans passants et d'arbres dénudés. Elle s'émerveillait devant les vues panoramiques de Josef Koudelka et, autant les visages des Occidentaux ne l'inspiraient pas, autant elle rêvait de prendre sur le vif des Tsiganes. Elle avait d'ailleurs eu sa période gitane, où elle portait de longues robes fleuries, de lourds bracelets et des boucles d'oreilles avec des pampilles, avant d'opter pour une apparence gothique, d'après elle plus en harmonie avec son attitude, antibourgeoise. Elle s'était ainsi renseignée sur le peuple rom, allant même emprunter des documents à la bibliothèque Parmentier et, pour une fois, avait étudié à fond son sujet. Elle n'était pas peu fière de m'en boucher un coin, quand elle me fit un exposé détaillé des migrations de ces nomades. Mais ces armistices, qui mettaient un terme provisoire à sa révolte contre tous les adultes, ne se produisaient pas souvent. En général, elle était une tête de mule, comme si elle affirmait son originalité en ne cédant jamais un pouce de terrain, et que, lors de nos attaques à fleurets mouchetés, c'était à qui aurait le pompon. Elle baissait d'autant moins sa garde que, faute d'accorder nos violons, Lou et moi n'avions pas réellement d'autorité sur elle, qui n'obéissait qu'à ses caprices.

Jusqu'à l'apparition d'Ulma, je n'étais ni heureux ni malheureux. Mon mariage allait clopin-clopant, mais je n'avais pas d'aventures extraconjugales. Je ne nie pas que j'avais parfois été tenté. Le sourire d'une nuitarde croisée dans un bar, les jambes nues d'une estivante bronzant sur la plage, le joli décolleté d'une Italienne égarée dans Paris, la chair rose d'une boulangère opulente, l'acidité d'une Lolita suffisaient à éveiller mes sens. Certaines d'entre elles n'étaient pas insensibles aux dissemblances entre moi, plutôt effacé, et les kakous désinhibés. Mais quelques mots échangés, un mojito pris ensemble, une promenade au Jardin des Plantes, une séance de cinéma, et nous en restions là, même quand, en me quittant, elles nouaient leurs bras autour de mon cou et se serraient contre moi, ou m'embrassaient furtivement sur la bouche. La tête pleine d'images d'elles, je taisais ces légers coups de canif dans le contrat, Lou m'aurait dit que je *courais la gueuse*, que je faisais l'intéressant, comme il fallait s'y attendre. Pour appeler un chat un chat, j'étais porté sur la bagatelle, à l'affût de bonnes fortunes, mes appétits charnels étaient tels que j'inscrirais les onze mille vierges à mon tableau de chasse si l'on ne me retenait pas. Elle était sûre que je l'avais trompée plus d'une fois, et c'était sur un ton aigre-doux qu'elle dépeignait sa situation, celle d'une noble épouse qui n'irait pas jusqu'à épier son mari, d'une femme de tête que mes violations des promesses de fidélité n'atteignaient pas. Quand, en ouvrant un de mes livres, elle voyait que sur la page de garde avaient été griffonnés un prénom féminin et un numéro de téléphone, ses traits se figeaient, mais elle restait impassible, comme si, venant de moi, rien ne pouvait la mettre dans tous ses états. Avec majesté, par des sous-entendus, elle faisait savoir que cela ne l'éraflait pas, quand bien même je mènerais une vie de patachon, une érotomane par-ci, une mangeuse d'hommes par-là. Elle n'était pas un gendarme, elle ne considérait pas son conjoint comme son prison-

nier, etc. Elle ne m'en faisait pas moins un procès d'intention : je me glisserais dans tous les lits
pour peu que l'occasion se présente, mes conquêtes
n'étaient que des belettes, qu'on emballe facilement.
Elle, comme elle le racontait à Laure, je l'avais cour-
tisée en y mettant les formes, elle m'avait fait lan-
guir, elle avait posé ses conditions, elle ne m'avait
concédé un baiser qu'après des travaux d'approche
sans fin, et ne m'avait laissé franchir sa porte qu'au
lendemain des noces.

Je n'étais pas le premier à tourner autour d'elle,
j'entrais en rivalité avec un de ses condisciples à Normale, latiniste à la figure poupine, avec un Hollan-
dais, agent immobilier qui lui avait loué sa studette
aux Abbesses, avec une bête à concours, infatigable.
Il y avait aussi, sur les rangs, quoique moins insis-
tants, un polygraphe, plume d'un député et Rasti-
gnac très mondain, et un agrégé d'anglais qui, disait-
elle, en avait sous la casquette. Mal lui en avait pris,
elle m'avait distingué, alors qu'elle avait quantité de
prétendants. À vingt-trois ans, elle en jetait, les passants se retournaient sur son passage, les routiers
la sifflaient dans la rue, les dragueurs l'accostaient.
Mais voilà, sans qu'elle comprenne très bien comment, j'avais emporté le morceau, peut-être était-ce
parce que j'étais un *venu d'ailleurs*, et qu'elle fondait
devant mon air de cador errant. Elle n'avait qu'une
connaissance superficielle de l'Asie, pour elle conti-
nent du bouddhisme zen. De ma terre natale, elle
n'avait qu'une représentation imprécise : des rizières
à perte de vue et des grèves bordées de cocotiers,
paysages défigurés par la guerre. Elle n'avait pas dix
ans quand les manifestants anti-impérialistes récla-

maient le départ des troupes américaines du Vietnam, elle n'était pas bachelière lorsque l'exode des boat people fuyant le totalitarisme érigé dans mon pays faisait la une des journaux. Elle se souvenait qu'on appelait Hô Chi Minh le libérateur de l'Indochine, deux fois vainqueur, dans la bataille contre les paras français, puis dans celle contre les G.I., bien qu'il se soit éteint avant la prise de Saïgon par les communistes et la création d'une République socialiste dans un Vietnam réunifié.

Je ne m'appesantissais pas sur mon état d'émigré, j'avais barré d'un trait des pages de ma biographie. Comme un maçon jointoyant un muret, j'avais fortifié ma ligne de défense, hérissée de principes infrangibles : ne pas avoir ma patrie collée à mes souliers, délier toutes les amarres sans sombrer corps et biens, remettre le compteur à zéro à partir du moment où j'avais secoué de mes épaules la poussière du passé, ne rien oublier, ne rien renier, mais me distancier des chiens qui retournent à leur vomi, tempérer mon hyperesthésie affective en me faisant violence. J'étais ainsi parvenu à une eurythmie apparente qui n'allait pas sans fausses notes, je mentais par omission, je ne jouais pas la carte de l'illusoire transparence au nom de laquelle se commettaient des indélicatesses.

Toutes ces bonnes résolutions avaient tenu la route tant qu'Ulma n'avait pas surgi à l'horizon. J'avais l'impression que mes genoux se dérobaient sous moi quand je reçus sa lettre. C'était il y a un peu plus d'un an. Je ne révélai ni à ma femme ni à ma fille le contenu de ce courrier. Mais elles ne tardèrent pas à être au courant de l'existence d'Ulma. Laure n'en avait rien à faire, Lou feignait un désintérêt pour mon secret de Polichinelle, mais elle avait le sang qui bouillait dans les veines. Elle se trahissait par des insinuations ou des silences comminatoires. De fait, c'était un véritable tremblement de terre qui était advenu, je n'en mesurai l'amplitude que progressivement. Lou couvait de noirs projets, je vérifiais à mes dépens l'exactitude de l'adage, *Tant va la cruche à l'eau qu'à la fin elle se brise.* Lou, devinant que je ne lui disais pas tout, engagea un détective chargé de me prendre en filature. La comédie dramatique n'eut pas de happy end : je sortais de chez Ulma, rue des Quatre-Vents, à deux heures du matin, je traversais le boulevard Saint-Germain quand une guimbarde, qu'il me semblait reconnaître, accéléra, fonça sur moi et me percuta. Je fus projeté en l'air avant de retomber sur le macadam, mort. J'avais juste eu le temps de voir qu'au volant de l'Austin, c'était Lou.

Ulma

Je lui demanderai : Docteur Sullivan, vous qui êtes mon analyste, vous devriez pouvoir me répondre – par quelle épithète désigne-t-on quelqu'un comme moi ? Une bâtarde ? Ou une « enfant de l'amour » ? Les euphémismes des faux jetons sont parfois pires que les insultes. Je ne suis pas une « enfant de l'amour », tout au plus le fruit d'un adultère. Je n'ai pas connu mon père, qui venait du Vietnam. J'ai mis du temps à me rendre compte que j'étais eurasienne. L'auteur de mes jours a désavoué la paternité de son enfant. Je porte le nom de ma mère, qui n'a même pas une photo de son amant d'une semaine. Déjà, quand j'étais à la maternelle, les mômes, donnant la main à leurs parents, me questionnaient : « Il est où, ton papa ? Il ne vient jamais te chercher ? » Et moi, je leur tirais la langue, je leur balançais mon cartable. Rien n'y faisait, ils s'obstinaient à me charrier : « Oh, elle n'a pas de papounet ! Oh, pauvre petite Ulma ! Oh, pauvre petit poussin ! » Je ne pleurais pas, mais j'en faisais une maladie. J'enviais jusqu'aux filles de divorcés : leurs pères, remariés, restaient quand même présents.

J'étais à l'école Montessori. C'était ma grand-

33

mère qui m'y avait inscrite. La méthode pédago-
gique appliquée là-bas lui plaisait, et elle avait fait
des sacrifices pour m'y envoyer. C'était elle aussi qui
m'attendait à la sortie des classes. Ma mère le faisait
tous les trente-six du mois, quand elle n'était pas
dans le coaltar après avoir pris de la coke.

Lily, ma grand-mère, était à moitié basque. Costumière souvent au chômage, elle était employée
dans des théâtres que le public boudait. Elle avait
peu de moyens. C'était la croix et la bannière pour
concevoir la garde-robe des comédiens selon les indi-
cations du chef décorateur, pour leur faire coudre
des vêtements d'époque, les fournir d'accessoires. Et,
quelquefois, par manque de personnel, elle faisait
aussi office d'habilleuse. Son mari était le fils d'un
immigré turc et d'une Alsacienne. Il avait construit
de ses mains un pavillon à Sceaux, aidé seulement
par un Polonais payé au noir. Cela avait duré des
années, jusqu'à sa mort. La maison n'était pas ache-
vée. Lily l'avait vendue une fois veuve, pour se fixer
rue Rouvet. Le dix-neuvième était encore un arrondissement où il ne faisait pas bon vivre. Elle n'avait
trouvé qu'une ancienne loge de concierge, expo-
sée au Nord, mais la fenêtre de la chambre à coucher s'ouvrait sur une cour plantée d'arbustes. Ma
mère n'avait que quatre ans. Un fils était né avant
elle, qui avait été emporté par une pneumonie. Mes
grands-parents voulaient un autre garçon, ils avaient
déjà choisi son prénom, Justin, changé en Justine
lorsque ma mère poussa ses premiers vagissements.
Maintenant encore, elle dit qu'elle a été une sorte
de « solution de remplacement ». Cela excuse toutes
ses récidives. Elle était une junkie qui ne s'assumait

pas. Qu'elle ait ou non de quoi se procurer de la came, elle n'avait pas bon moral. Après ses cures de désintoxication, elle replongeait presque immédiatement. Incapable de travailler longtemps, elle faisait de l'intérim. Elle était tour à tour serveuse, caissière ou vendeuse, parfois vendangeuse. Mais aller au turbin, c'était pour elle dire oui à l'aliénation. À la fin des années soixante, au moment où le *Flower Power* triomphait, elle me confiait à Lily, alors que j'étais un nourrisson, et elle partait pour l'Inde avec une bande de hippies. Ils portaient des fleurs dans les cheveux, ils séjournaient dans un ashram, ils admiraient Madame Blavatsky, en ne connaissant sa *Doctrine secrète* que par ouï-dire. Quand elle rentrait, elle était maigre, sans le sou, elle devait trois mois de loyer, sa propriétaire la menaçait d'expulsion, elle rendait les clés et, avec moi dans les bras, elle allait en Ardèche, dans une communauté de babas. Elle était amoureuse d'un barbu qui se donnait pour un phénoménologue. Il l'impressionnait en citant Husserl, mais au lit ce n'était pas l'affaire du siècle, comme elle disait. D'autres ostrogoths lui avaient tapé dans l'œil : un apprenti théosophe, un animiste un peu cintré, un judoka lecteur de Swedenborg, un fouriériste qui avait pour but d'instituer des phalanstères… Elle parlait volontiers de ses ex, surtout après mes seize ans. Avant, j'étais la plupart du temps chez ma grand-mère.

Sous une enveloppe rugueuse, Lily cachait un cœur d'or. Elle n'extériorisait pas son affection pour moi, elle ne m'embrassait pas, ne me caressait pas, mais elle s'imposait des privations pour assurer mon avenir. Ma mère, c'était tout le contraire. Après m'avoir délaissée pendant des semaines, elle revenait dare-dare, m'enlevait à Lily, m'apportait des mikados, de la pâte à modeler, des poupées gigognes, m'appelait son Ulma chérie, son trésor, me prenait sur ses genoux, m'étouffait sous ses baisers, jurait ses grands dieux que nous ne nous séparerions plus. Lily était très agitée lorsque sa fille réapparaissait pour m'emmener au loin, chez les uns, chez les autres, dans des squats, dans des hôtels, où elle partageait une chambre de neuf mètres carrés avec une disciple de Krishnamurti. Nous dormions à trois dans le lit, le sommier en fer grinçait, les couvertures étaient trop fines, les draps tachés, le linge humide pendait sur un fil tendu entre le vasistas et la porte de la penderie, les murs se fendillaient. Ma mère préparait le repas sur un réchaud, le menu ne variait pas : coquillettes ou maquereaux aux pommes de terre à midi, riz au thon ou lentilles le soir. Les féculents étaient cramés, les patates pas assez cuites, les nouilles collaient au fond de la casserole. La cuisinière et son amie me disaient de me caler les joues. Il ne fallait pas chipoter, dans les HLM c'était la disette, en Afrique la famine. Nous ne dînions pas dehors, sauf lors de mes anniversaires. Justine me traînait dans un restaurant indien ou mexicain, elle me faisait goûter du poulet tandoori et des fajitas. C'était une fois l'an, quand elle était à flot. Sinon elle s'approvisionnait dans les magasins les moins chers, mais même en étant regardante, elle était toujours fauchée et devait faire appel au porte-monnaie de Lily, d'autant plus que la dope coûtait les yeux de la tête, presque tout son argent y passait. Elle avait rapporté du Bengale des disques de Ravi Shankar, ils tournaient toute la journée sur la platine, son seul bien qu'elle trimballait partout. Elle déménageait sans arrêt, ses effets tenaient dans une valisette, elle se faisait héberger par de drôles de types, rencontrés dans des manifs contre la guerre au Vietnam ou aux cours de méditation transcendantale. Ils voulaient bien d'elle, mais pas de moi. Alors, elle me conduisait chez ma grand-mère, tout en me disant : « Ulma, tu dois comprendre. J'ai des choses à vivre, si tu es tout le temps dans mes pattes, bonjour l'ambiance ! Mes jules ne m'auront dans la peau qu'à condition que je n'aie pas une petiote pendue à mes jupes. Et puis zut, je n'ai pas à me faire pardonner. J'en ai vu de dures, je vais sur mes trente ans, l'automne viendra vite. »

Pour me consoler, elle m'offrait *Fantômette contre Fantômette*, un kaléidoscope, elle me promettait de me reprendre dès que possible et elle ajoutait : « Tu es une grande fille maintenant, ne sois pas un pot de colle ! » Je contenais mes sanglots pour faire bonne figure, mais j'étais plus triste qu'une mésange tombée de son nid. Dans le métro qui filait vers le dix-neuvième, Justine me chuchotait à l'oreille des gentillesses, me disait qu'à Noël nous irions, elle et moi, à la foire du Trône, nous ferions des tours de manège, j'aurais des barbes à papa. Je ne raffolais pas des fêtes foraines, mais je ne lui répliquais pas, je tortillais mes cheveux, je lissais mon kilt, je scrutais les passagers du wagon, je savais d'avance que je réveillonnerais avec ma grand-mère, pendant qu'elle serait à Calcutta avec son théosophe ou à Pétaouchnok avec un naturiste.

Jusqu'à mes quinze ans, j'avais pensé que je n'aurais

pas dû naître. Mon père était reparti dans son pays et ne m'avait pas reconnue, Justine se serait mieux portée si elle ne m'avait pas eue à sa charge, quoiqu'elle s'en tienne au minimum dans son rôle de mère. Sans la constante présence de Lily, j'aurais eu le cœur gros, je me serais haïe, moi l'enfant illégitime, la métisse qu'on appelait « la Chinoise » et qui ignorait tout de l'Asie. Quand il était question de cette partie du monde, je tressaillais comme sous l'effet d'une décharge électrique. Je n'avais pas cinq ans quand défilaient sur l'écran de télévision des images d'un Vietnam bombardé, je me disais que mon père était peut-être au milieu des gens qui fuyaient sur les routes. Ma grand-mère éteignait aussitôt le poste et ne le rallumait que lorsqu'il y avait un documentaire animalier ou un programme éducatif. J'avais toujours soif de m'instruire. En faisant des dictées, je relevais des paragraphes entiers et les transcrivais dans un cahier. J'avais un bloc où je listais les mots savants, les homonymes, les adverbes peu usuels. À l'école, la maîtresse poussait les élèves à rédiger des compositions sur des thèmes libres, elle avait accroché au mur de la salle de classe une boîte où nous pouvions déposer nos rédactions. C'était moi qui l'alimentais le plus, en fables, en paraboles, en pièces en trois actes. Je démarquais mes conteurs favoris, je pillais des passages chez l'un, je piquais des formules chez l'autre. La maîtresse n'y voyait que du feu, je récoltais tous les matins des bons points, je me classais parmi les meilleurs. Lily me récompensait chaque fois que, en signant mon carnet de notes, elle s'apercevait que j'avais presque partout 10 sur 10. Elle me faisait de la confiture de rhubarbe, des clafoutis aux cerises, des aspics de volaille. Ou alors elle m'emmenait au zoo de Vincennes, dans des librairies. J'en ressortais avec un sac rempli de livres. Je les lisais au lit les soirs où ma grand-mère était requise au théâtre. Peu à peu, je m'étais constitué une petite bibliothèque : les volumes du *Club des Cinq* et les contes d'Andersen étaient dans le rayonnage du bas, les romans de Dumas et de Jules Verne s'alignaient sur l'étagère du milieu, les comédies de Molière, les poésies de Verlaine et les récits des sœurs Brontë trônaient à la place d'honneur, tout en haut. Je recueillais des parcelles de savoir, je ne levais le nez de mes livres que pour consulter mon dictionnaire, je cherchais l'étymologie des mots polysémiques, je finissais par apprendre par cœur toute la page, j'enregistrais dans mon cahier des termes qui tiraient l'œil, comme *coquecigrue, piqué de la tarentule, croquer le marmot, danser devant le buffet...* Former des phrases avec me distrayait, moi qui étais une fillette abandonnique, craignant d'être exclue, mais ne faisant rien pour se rendre agréable. Au contact de ma grand-mère, qui ne dévoilait jamais ses sentiments, je me renfermais, je me rétractais au moindre coudoiement familier. J'avais toujours dans ma poche un carnet tout froissé. J'y notais que j'aimerais me réincarner en ginkgo, en louveteau des steppes. Je confiais mensongèrement au papier que l'éloignement de Justine ne m'était plus un arrachement. L'accoutumance m'avait trempée, les bleus à l'âme disparaissaient avec le temps. Je m'exerçais à ne pas espérer trop d'une mère à éclipses. Je mûrissais, je me développais en me sevrant du lait de la tendresse maternelle. Justine était de plus en plus souvent aux abonnés absents. Elle n'allait plus en Inde, mais elle avait trouvé un point de chute à La Havane. Elle portait des pantalons treillis et un béret à la Che Guevara, elle se disait castriste, elle expliquait à Lily : « Avec Fidel Castro, les Amerloques n'ont plus qu'à aller se rhabiller. » Ma grand-mère lui demandait sèchement ce qu'elle, toujours défoncée, comprenait à la politique. Justine revenait d'une cure de désintoxication et pendant quelque temps n'était pas en manque. Elle disait que cette fois-ci, elle décrochait pour de vrai. Elle allait prendre des cours de dactylo, mais être secrétaire dans une usine, ça non. Elle était sur une piste, l'annonce d'un homme de lettres en quête d'une assistante. Mais Cuba d'abord, elle devait changer d'horizon avant de se mettre le licou. La Havane valait tous les trips. Elle allait rejoindre un Casanova qu'elle aurait pour elle toute seule. Il lui avait payé le billet d'avion. Lily faisait remarquer que sa façon de se faire entretenir n'était pas compatible avec son castrisme. Mais, toute survoltée, elle n'écoutait pas, répétait qu'elle avait un ticket avec son Casanova. Il était le fils d'un riche notaire, il roulait en décapotable, il s'entourait de canons, mais il n'était pas puant, il avait des idées avancées. Depuis qu'ils avaient commencé à se voir, il ne cavalait plus, elle snifait moins. Après les bras cassés qui la faisaient casquer, enfin quelqu'un de bien, taillé en athlète, et qui n'avait pas des oursins dans ses poches. Si elle parvenait à se l'attacher, dans quatre mois j'aurais un beau-père. Arrivée comme un ouragan, elle repartait en trombe, non sans avoir taxé Lily de quelques coupures et m'avoir dit d'être bien sage.

À son retour, trois semaines plus tard, elle avait des valises sous les yeux, la peau grise et un herpès sur la lèvre inférieure. Le Casanova l'avait laissée choir au bout de dix jours pour filer le parfait amour avec une Cubaine, une *gouine* qui lui avait proposé un ménage à trois, dit-elle d'une voix haut perchée. Nous mangions le tajine d'agneau que ma grand-mère concoctait traditionnellement pour sa fille. Justine laissait son assiette à moitié pleine. « J'ai encore misé sur le mauvais cheval », soufflait-elle. Même à présent, je me rappelle ce déjeuner. Je ne saisissais pas tout ce que ma mère avait dit, mais comme elle devait le redire des années après, cela s'est fixé dans mon cerveau. Elle ressemblait à une noyée sauvée in extremis. Elle avait la respiration saccadée, les pupilles dilatées, les ongles en deuil, le T-shirt constellé de taches de transpiration. Le lâchage du Casanova était le coup de massue, l'évanouissement de ses illusions. Elle qui l'avait paré d'une auréole le mettait maintenant sur le même plan que ses prédécesseurs. « Tous des… empaffés ! » disait-elle, en se retenant d'employer un qualificatif plus grossier. L'injure était nouvelle pour moi, mais j'en devinais le sens et me demandais si elle visait aussi mon père – j'étais le cadeau empoisonné qu'il lui avait fait. Si furieuse soit-elle contre les hommes, elle ne le comptait toutefois pas au nombre de ceux qui l'avaient « ignoblement dropée ». La semaine qu'elle avait passée avec lui était à mettre dans les annales. C'était à la fin de l'année 1968, quelques mois après l'offensive de l'armée de Hô Chi Minh dans le Sud-

Vietnam. Mon père était venu avec une délégation officielle. Justine et lui avaient noué connaissance lors d'un sit-in de pacifistes. Ils étaient tout foufous, ils savaient que leur liaison durerait ce que durent les roses. Elle lui avait chanté les *protest songs* de Jimi Hendrix, fait découvrir des boîtes de jazz, montré les monuments de Paris, le canal Saint-Martin, les berges de la Marne, les fortifications de Moret-sur-Loing. Ils avaient à peine dormi pendant ces sept jours. Ils avaient dépensé jusqu'à leurs derniers sous, elle avait emprunté à Lily pour compléter la somme dont il disposait pendant son séjour en France. Elle avait été à ses côtés lors d'un rassemblement d'étudiants communistes à la Mutualité, lors d'un concert de soutien au peuple vietnamien, lorsque, avec les membres d'une association antiguerre, il avait récolté des signatures pour une pétition contre l'agression américaine. Elle l'avait accompagné à l'aéroport quand il s'était envolé pour Hanoï. Elle pressentait qu'elle n'allait jamais le revoir, mais elle se faisait une raison. Il avait de grands desseins à accomplir, son entier engagement dans la lutte pour la libération de son pays le destinait à une carrière de hiérarque au sein de son parti. Elle ne lui susciterait pas d'obstacles en étant une dulcinée récriminatrice. Elle garderait une dignité d'impératrice qui se mépriserait de réclamer à cor et à cri des preuves d'amour. Elle ne l'ennuierait pas en l'accablant de lettres, d'ailleurs il ne lui écrivait pas. C'était silence radio, même quand, après des préambules embrouillés, elle l'avertit qu'il était père. Elle en déduisit que, sans doute promu à d'importantes fonctions, il avait d'autres soucis en tête. Il était avant tout un combattant, un bô

dôi, un fantassin de Hô Chi Minh, dont les funé-
railles venaient d'être célébrées en toute solennité.
Bien que sans nouvelles de lui, qui avait de toute
manière une femme au pays, elle vivait de cette fic-
tion : il conserverait jusqu'à son dernier souffle le
souvenir de la semaine qu'il avait passée avec elle.
Pour lui, elle serait toujours l'amante parisienne, la
Flower Child, la beauté préraphaélite qui militait
pour la paix. Elle non plus, disait-elle, n'oublierait
pas mon père, mais elle n'avait que dix-neuf ans,
elle n'allait pas faire vœu d'abstinence. Sans être
légère, elle était une valentine à la recherche de son
valentin. Si elle en trouvait un qui soit sérieux, elle
ferait le chemin de Saint-Jacques-de-Compostelle à
genoux. Hélas ! Elle ne tombait que sur des plaisan-
tins, disait-elle encore à Lily qui lui répondait ironi-
quement : « Tout vient à point à qui sait attendre. »
Justine était énervée, elle soulignait qu'elle, rigolote
et sincère, méritait de ne plus être une mère céli-
bataire condamnée à la débrouille, d'avoir un compagnon éprouvé, avec quelque chose dans le ventre
et du plomb dans la cervelle. Mais où dégoter ce
mouton à cinq pattes ? Sa seule amie, la disciple
de Krishnamurti, avait trouvé chaussure à son pied.
Depuis, elle n'habitait plus à l'hôtel, elle ne prônait
plus l'union libre, ne multipliait plus les expériences
sexuelles, ne marchait plus à voile et à vapeur, mais
était résolument hétéro, monogame, pot-au-feu. Elle
ne pointait plus au chômage. Guichetière à la poste,
elle s'était syndiquée pour défendre les acquis, elle
s'était endettée pour se faire bâtir une maisonnette
dans un lotissement des faubourgs, elle calculait le
montant des prestations auxquelles elle avait droit,

de ses éventuelles allocations de maternité, de sa future retraite, elle se convertissait au consumérisme pendant que ses traités de sagesse s'empoussiéraient. Elle qui avait mené joyeuse vie, devenait rasoir, limite franchouillarde, disait Justine, pourtant verte de dépit quand elle faisait mention du virage à cent quatre-vingts degrés de son amie. Elle au moins n'était pas chocolat dans la chasse au prince charmant. Certes, elle avait épousé un beau mec qui n'avait pas inventé la poudre, mais ils avaient des projets ensemble, il lui assurait qu'avec lui elle n'aurait que le meilleur. Certes, tout, chez eux, était d'un kitsch affreux, mais ils avaient un endroit à eux et ils n'étaient pas, comme elle, talonnés par des proprios rapiats. Certes, ils les lâchaient avec un élastique, mais, d'un commun accord, ils mettaient de côté pour leurs vieux jours, tandis qu'elle, sans personne à qui faire des confidences sur l'oreiller, elle se dédommageait en claquant son argent avant de se retrouver pendue en l'espace d'une huitaine. Ses fréquentes périodes de débine dissuadaient ses hommes de rester longtemps avec elle. Et puis, il y avait moi : ceux qui la recevaient sous leur toit la prévenaient qu'ils ne se sentaient pas une vocation de père de substitution. Ils avaient des jobs précaires, ils trimaient pour des queues de cerise, ils n'allaient pas en plus porter un lourd poids sur le dos. Soit, j'étais mimi, mais de là à s'occuper de moi toute la sainte journée, merci bien ! Seul l'un d'entre eux, qui avait été à San Francisco pendant le *Summer of Love*, ne m'aurait pas repoussée si sa mère, un vrai dragon d'après Justine, ne s'en était mêlée : « Passe encore qu'il sorte avec une fille facile, mais qu'il

se fatigue pour la mioche d'un autre ! » Lui, gros
bêta, capable de rien qui vaille, il se ferait rouler
par toutes les maries-salopes si elle ne leur arrachait
pas le masque, si elle ne le serinait pas avec son leit-
motiv : « Souvent femme varie, bien fol qui s'y fie ! »
Elle l'avait ramené dans le droit chemin, après ses
débauches, elle l'avait regonflé lorsqu'il n'était pas
à la noce, elle avait poussé à la roue lorsqu'il pouvait profiter d'une circonstance opportune, elle avait
veillé sur ses sous, elle l'avait obligé à se couper les
cheveux, lui qui les avait portés longs comme tous
les hippies, à se présenter en costard-cravate dans
des cabinets de recrutement. Quand la moutarde lui
montait au nez, Justine disait que la vieille avait fait
de lui une vraie chiffe, qui ne décidait rien sans en
référer d'abord à sa mère.

Elle disait aussi qu'elle n'était pas vernie côté
lovers. Presque tous avaient tourné casaque, Ils ne
faisaient plus la bamboula, ils ne buvaient plus, ils
reniflaient encore de temps à autre de la coke, mais
ils y allaient mollo. Ils étaient rats : autrefois prodigues grâce à leurs parents, ils gagnaient maintenant durement leur pain. C'étaient des croûtes. Ils
jouaient petit bras. Plusieurs étaient de jeunes publi-
citaires, qui avaient le cœur à gauche et le porte-
feuille à droite. Certains avaient carrément viré de
bord – patrons paternalistes, ils exploitaient des clan-
dos. Quelques-uns n'étaient pas passés à l'ennemi,
mais ceux-là, shootés et mis au ban, avaient bien du
mal à garder la tête hors de l'eau. Justine ne mâchait
pas ses mots quand elle décrivait les lâcheurs, elle
tapait aussi sur les bourges, les boss, les soixante-
huitards récupérés par le système, les traîtres au

Front populaire. Elle, elle n'avait pas jeté ses convictions aux orties, elle croyait à la victoire du prolétariat, à l'édification d'une société sans classes. Après les Trente Glorieuses, les esprits allaient être en fermentation. Elle monterait en première ligne quand l'antifascisme déclencherait le Grand Chambardement. Qu'importait si ses vieux potes composaient avec les capitalistes. Elle, elle continuait à soutenir les noyaux de résistance. Elle était une midinette, mais pas une crétine, elle avait une vision globale des dangers qui menaçaient la planète, une réelle intelligence de la conjoncture, grâce à son analyse profonde des forces en présence : la lutte finale opposerait les héritiers de 1789, qui boulonnaient dur, et les ultras, qui allaient à la soupe et réalisaient des coups de Bourse.

Tout cela me dépassait, j'entrevoyais seulement que Justine souffrait d'être partout traitée en parent pauvre. Elle en avait marre, disait-elle, de payer avec des chèques en bois quand d'autres étaient bourrés de fric, de renoncer à de menus plaisirs quand ceux qui avaient la baraka faisaient la bringue, de porter des fripes quand des pétasses bien pourvues s'habillaient chez les grands couturiers, de se nourrir de conserves quand des bibendums étalaient un luxe indécent en s'offrant des repas gastronomiques, de faire les vendanges quand des boudins à fourrure et à collier de perles allaient chez la manucure, de se tuer à la peine quand la jet-set se rôtissait au soleil des Maldives... Le temps filait et au match de la vie elle était groggy, mais elle se raccrochait aux branches, elle ne jouerait plus de malchance, ses

plans ne tomberaient plus dans le lac, elle trouve-
rait le moyen de se faire adorer avec son air mutin.

Lily, qui ne ménageait pas ses efforts pour ne pas
se mettre mal avec sa fille, se gardait de la contre-
dire et de jeter une pierre dans son jardin. Sans
un mot, elle la laissait esquinter la plateforme des
conservateurs, prédire qu'il allait y avoir du rififi.
Les successeurs de Bakounine monteraient au front.
Ils casseraient la cabane aux droitistes, ils ruineraient
le crédit du gouvernement établi, ils dénonceraient
les manœuvres politiciennes, l'attribution de marchés à ceux qui versaient des bakchichs, la perpé-
tuation d'une société duale, avec la grosse galette
pour le roi des tripoteurs et pour les sous-ordres,
tintin ! Ma grand-mère n'était pas loin de penser
comme elle, mais lorsqu'elle s'exprimait sur ce chapitre, elle le faisait incidemment, comme une apo-
litique que la course au pouvoir ne concernait pas.
Elle ne disait pas que les élus de tous poils, c'était
blanc bonnet et bonnet blanc. Elle allait aux urnes
sans avoir trop confiance dans les représentants qui
partaient à la pêche aux voix. Elle exposait rarement sa position. Elle ne suivait pas les émissions
sur les présidentiables, elle ne poussait pas de coco-
ricos à chaque exploit des rugbymen tricolores, elle
ne dépouillait pas la presse au lendemain des scru-
tins. Les scores électoraux l'ahurissaient seulement
quand l'extrême droite faisait une percée. Elle m'avait
enseigné le Chant des partisans, inculqué la haine
des nazillons, des négationnistes. Elle s'était liée avec
André, un bruiteur, ancien déporté, qui lui avait
fait lire Robert Antelme. Ils voyaient ensemble des
pièces de Brecht et de Gorki, des films de Duvivier

et de Becker, des cinéastes de la Nouvelle Vague ou du néoréalisme italien. Il lui parlait du *Rendez-vous des quais,* tourné à Marseille et censuré parce que Paul Carpita y montrait des dockers en grève pour se dresser contre la guerre d'Indochine. Il lui prêtait des trente-trois tours de Boris Vian, lui chantait à pleins poumons *Le Déserteur.* Il discutait avec elle du maccarthysme, des sorcières d'Hollywood, de la déposition d'Elia Kazan devant la Commission des activités anti-américaines, mais aussi de l'incarcération des dissidents en Chine, après la campagne des Cent-Fleurs, de la relégation des poètes au Goulag. Il ne s'attardait pas sur ses deux ans de camp, la survie dans des baraquements, l'inhumanité des kapos, le devenir-spectre des détenus.

Vieux garçon, il meublait ses jours de repos en collectant des vêtements pour la Croix-Rouge, en avalant des livres d'histoire, en fondant un ciné-club où des critiques décortiquaient la technique scénaristique et l'art du montage. Lui et ma grand-mère se réunissaient souvent autour d'une grappa. Assis dans la causeuse près de la fenêtre, sous la lumière du lampadaire, ils se passaient en boucle un oratorio d'Arthur Honegger et s'entretenaient de choses et d'autres. Ils se moquaient des journalistes qui faisaient du remplissage avec leurs sujets rebattus, mettaient en parallèle *Shock Corridor* et l'opus de Milos Forman, *Vol au-dessus d'un nid de coucou,* réfléchissaient à la possibilité, pour le ciné-club, d'obtenir une plus large audience, n'étaient pas d'accord sur les étoiles montantes qui crevaient l'écran, sur les westerns spaghetti et les films d'épouvante avec Vincent Price, commentaient les performances des troupes d'amateurs, regrettaient d'être trop serrés pour aller souvent au théâtre, même en réservant des places au poulailler, d'avoir manqué des créations d'Antoine Vitez, des concerts de musique sérielle, de s'être fiés aux recommandations d'un chroniqueur qui vantait le récital d'un jazzman manouche à la manque. Penchée sur mes devoirs, je saisissais au vol des bribes de conversation, j'avais l'âge de raison, une facilité à tout mémoriser, à m'imprégner de choses entendues. Je ne perdais pas une miette de ces échanges, même quand je n'avais aucune idée du sens de certains termes.

Lily, qui d'ordinaire avait la parole brève, s'animait. Ses yeux riaient, ses joues rosissaient. Elle avait dénoué son chignon, ses cheveux poivre et sel tombaient épars sur ses épaules. Dans son chemisier en soie sauvage et sa jupe à mi-mollet, elle ne faisait pas son âge. Elle n'avait rien d'une mamie hors course. Elle était fragile de la gorge, elle avait de l'arthrose, mais sa verdeur perdurait, particulièrement lorsqu'elle devait abattre de la besogne. Elle disait qu'elle n'avait pas le don d'ubiquité, pourtant, chaque fois que des metteurs en scène la dépêchaient aux quatre coins de la ville pour porter des messages à des acteurs, que des décorateurs lui confiaient la mission de dénicher du matériel dans une brocante à Trifouillis-les-Oies, que des comédiennes l'invitaient chez elles afin qu'elle les aide à apprendre leur rôle en leur donnant la réplique, elle était toujours partante. Elle ne s'accordait jamais de congé, le samedi furetait dans les boutiques de tissu, le dimanche faisait les finitions des costumes, les jours de relâche procédait aux essayages. Quand une bronchite la vouait à l'inaction, elle était un paquet de nerfs et, à peine guérie, se précipitait au théâtre. Malgré son calendrier chargé, elle me guidait dans mes études, me tenait lieu de répétiteur, m'achetait des illustrés, un glossaire de la langue verte, les albums d'Hergé, les lettres de Mme de Sévigné, *Croc-Blanc* de Jack London, et bien d'autres ouvrages. À sa manière, c'est-à-dire en étant toujours un peu rêche, elle me choyait.

Les temps étaient rudes pour elle, ses économies avaient fondu. Elle n'allait plus boire sa noisette à *L'Estaminet*, rue de Crimée, elle ne prenait plus de pot avec les ouvreuses, elle refrénait sa fringale de spectacle. Aux repas elle se rationnait, ne touchait pas aux hors-d'œuvre pour m'en laisser, faisait maigre tous les jours, se contentait de crudités ou de rosevals à l'eau, mais garnissait mes entrecôtes d'une poêlée de cèpes. Au petit déjeuner dominical, c'était viennoiseries pour moi et biscotte à la margarine pour elle. Alors qu'elle revendait ses plus jolies robes, elle m'habillait de neuf à chaque rentrée. Elle ne me refusait rien, me permettait de partir en excursion avec l'école au Mont Saint-Michel ou à l'île de Ré. Toujours, elle mettait la main à la poche pour m'équiper. J'avais une parka matelassée, un duffle-coat, des pulls en mohair, des après-ski, des chaussures de marche, des gants fourrés, des sacs à dos, des maillots à rayures, tout un trousseau que Lily triait soigneusement selon que j'allais au Touquet ou en classe de neige.

Justine était mécontente quand elle débarquait au milieu des préparatifs : ma grand-mère se remuait pour que j'aie tout, au lieu de m'éclairer sur la dureté de l'existence. Casser sa tirelire et jouer sans cesse les pères Noël, c'était semer l'argent quand il convenait d'éviter les frais dispendieux. En contradiction avec elle-même, elle ajoutait que, évidemment, *sa* fille avait droit à ce qu'il y avait de mieux pour ne pas rougir de honte devant ses camarades bien sapés, avec des cartables de marque et des quatre-heures de chez Fauchon. C'était la faute de Lily si nous en étions là – elle m'avait mise dans un établissement chérot, réservé à la clientèle des quartiers chic. Résultat : il fallait nantir mademoiselle de belles choses, lui donner de la viande surchoix, des primeurs extra, sinon elle faisait la petite bouche... D'après elle, j'avais chopé le melon parce que les moustiques de ma classe ne m'arrivaient pas à la ceinture. Elle, elle n'avait même pas le bac, elle s'était bananée à chaque examen. En cours, elle s'installait toujours au fond de la salle, près du radiateur. Elle ne pouvait, disait-elle, « sacquer les profs, les dirlos, tous ceux qui faisaient régner la discipline ». Elle les surnommait les chiens de garde. Elle excellait en dessin, mais quant aux matières principales, elle était lanterne rouge. Elle n'avait eu aucun diplôme, elle s'était formée toute seule, et elle n'était pas plus bête qu'une autre. Elle avait de la tchatche, et même de la faconde, elle était une femme de goût, elle ne se transformait pas en pot de peinture, elle ne portait pas de cyclistes qui juraient avec ses jupes, de couleurs criardes qui offensaient l'œil. Une fois qu'elle avait fait cet autoportrait, elle mettait les points sur les i : elle était pour l'heure défavorisée, mais elle allait se reprendre en main, elle se recyclerait dans un domaine porteur, culbuterait toutes les barrières,

s'adjugerait une place dans l'ascenseur social. Ces sur-
compensations, comme diraient les psys, en épous-
toufleraient plus d'un.

Surcompensation était encore un mot qui enrichis-
sait mon vocabulaire. À l'âge que j'avais, la termi-
nologie de la médecine mentale m'intriguait déjà.
Depuis lors, surtout depuis que je me rends chaque
mercredi à votre cabinet, docteur Sullivan, je me
suis initiée à la science humaine, j'ai acquis quelques
éléments des théories freudiennes, mais ma psyché
demeure pour moi une glace qui renvoie le reflet
d'un personnage à facettes. Des cyclones m'ont mal-
menée, j'ai failli perdre la raison. Enfant chez qui
tout était intériorisé, adolescente en qui les ouver-
tures provoquaient du retrait, j'ai atteint la tren-
taine sans être mature. Je me suis enferrée jusqu'à la
garde, les situations indébrouillables dans lesquelles
je me suis jetée m'ont éprouvée. Je ne m'éternise-
rai pas là-dessus, quoique je vous doive la vérité. Je
ne la travestirai pas, je jouerai franc jeu. Je remon-
terai le fleuve du temps, j'enquêterai sur l'origine
du démâtage de mon navire – ma réserve de courage –, je mettrai l'embargo sur mes actes manqués,
mes terreurs obsessives, je tiendrai mieux la barre
grâce à vous, docteur Sullivan, je navigue sous votre
conduite, que ce soit dans une mer d'huile ou dans
le courant tempétueux des jours.

Malgré mes désordres psychiques, je n'ai pas
accepté la camisole chimique. Je crois en la vertu
thérapeutique de mes aveux. Je désamorce les bombes
à retardement, je ne redoute pas les terrains minés,
je déblaie de ma route les barrages, j'avance pas
à pas vers mon but : ne plus me méconnaître, sans

me vautrer ni dans l'autosatisfaction ni dans l'auto-flagellation. Au dire de ma mère, qui vient de fêter ses soixante ans, je ne suis pas au bout de mes peines, j'ai encore du chemin à faire si je veux me dégager des liens infantilisants, à commencer par celui qui s'est créé entre vous, docteur Sullivan, et moi. Je suis sur le gril lorsque vous fermez votre cabinet, lorsque je ne peux ni vous téléphoner ni vous voir. Alors, comme cette nuit, je vous parle, je libère mon cœur. Lily aurait appelé cela la répétition générale avant la première, mais mon texte est plein de lacunes, inabouti, et quand je serai face à vous, j'aurai des blancs de mémoire, je ne trouverai pas mes mots, je vous paraîtrai tourte, quérulente, adjectif qui, dans votre langage, qualifie les individus portés à exiger réparation de prétendus préjudices. Si seulement j'étais moins réceptive chaque fois que j'ai le trac avant de vous affronter, vous qui avez un regard investigateur ! Si seulement je ne faisais pas tout dépendre de vous !

Lou

Hugues m'a dit que je devrais écrire ma confession, cela allégerait ma culpabilité. Je n'ai pas coutume de m'ausculter mais je vais suivre ces conseils, même si je ne fais que barbouiller du papier, même si mes redites ne mènent à rien.

Mon avocat voudrait défendre la thèse de l'accident. Je n'ai pas tué mon mari délibérément. Au volant de mon Austin, j'allais le chercher au coin du boulevard Saint-Germain et du boulevard Saint-Michel, où il devait m'attendre. Je roulais trop vite et j'avais un verre dans le nez, moi qui bois rarement. Je ne sais pas comment maître Dieuleveult assurera ma défense, mais je dois m'en tenir à ses instructions, pour ne pas risquer la prison. J'étais en état d'ébriété, avaient dit les policiers accourus sur les lieux. À genoux près du cadavre de Van, mon mari depuis vingt ans, j'étais éperdue, je ne mesurais pas encore toute l'étendue du désastre : je l'avais renversé, à sa vue j'avais appuyé sur le champignon. Pourquoi cette fureur soudaine ? J'avais pourtant réussi à me dominer quand j'avais été avisée, par M. Grimaldi, mon détective, des rendez-vous nocturnes que Van avait avec Ulma. Il alléguait qu'il allait chez un romancier l'aider à replâtrer son manuscrit. Je ne répondais rien, mais je flairais qu'il me racontait n'importe quoi. M. Grimaldi les avait, Van et elle, photographiés subrepticement, dans des postures qui ne laissaient aucun doute sur leur intimité.

Je m'étais faite à l'idée que Van était un voluptueux, même s'il ne passait pas à l'acte. Il succombait facilement à l'attrait de l'inconnu, mais il ne concluait pas. J'étais aussi impénétrable que le marbre lorsque m'étaient rapportés des on-dit. On l'aurait surpris en galante compagnie, on l'aurait vu en train d'aborder une Japonaise sur les marches de l'Opéra Bastille, ou une grande bringue place des Vosges. Dès que j'avais le dos tourné, il faisait du plat à une touriste, il entraînait une étudiante au cinéma. C'était un bourreau des cœurs, bien qu'il ne se soit pas vanté de ses succès. Il faisait le bel indifférent. Au début de notre mariage déjà, il flashait souvent sur les belles étrangères. Où que nous allions, il mettait tout en œuvre pour captiver. Avec ses yeux de biche, sa bouche lippue, ses traits bien proportionnés, sa voix enveloppante, il partait gagnant. Les femmes le trouvaient irrésistible, elles se lançaient dans des duels de séduction. Il n'avait pas besoin d'en faire trop, c'était du tout cuit. Moi, quand je ne m'étais pas levée du pied gauche, je me divertissais de ces invites plus ou moins lestes, mais quand je m'étais accrochée avec Van, je faisais la tête et la langue me démangeait de lui dire qu'il exagérait. Il me réduisait à un rôle décoratif, comme si j'étais une plante ornementale, comme si je faisais partie depuis trop longtemps des meubles pour qu'en public il me gratifie de démonstrations de connivence.

Dans la rue il marchait toujours à une bonne distance de moi, il n'entourait jamais mes épaules de son bras, il ne m'enlaçait jamais ni ne me donnait de baiser devant témoin. Notre fille, Laure, disait que depuis ses dix ans, elle n'avait pas assisté à des expansions de la part de Van. Non qu'il ait fini par être de bois, au contraire. Même après vingt années de mariage, au lit, le soir, nos ébats étaient ardents. Mais au matin, il était dégrisé, il n'avait plus le moindre élan vers moi, ce qui renforçait ma psychorigidité – j'étais partisane, batailleuse, je me prenais la tête avec lui ou je m'enfonçais dans le mutisme.

Je fouillais souvent dans ses tiroirs, je l'admets. J'étais persuadée qu'il avait un squelette dans le placard, une correspondance érotique avec une blondasse qui lui avait fait de l'œil lors d'un cocktail de lancement dans une maison d'édition, des carnets où il consignait des perversions sexuelles qu'il n'avait pas assouvies, une collection de photos suggestives. Il était un amateur de littérature grivoise. Moi, même si je n'étais pas une femme froide, même si j'aimais l'amour avec Van, je ne prisais pas ce type de récit, qui ne me faisait pas fantasmer. Je me disais parfois : « Tant d'efforts pour décrire comment deux bipèdes font la bête à deux dos ! Après tout, ce n'est que le frottement de deux épidermes. » Van était désolé que je sois si imperméable aux raffinements de la prose licencieuse. Toutes ces anecdotes sur les mille et une parties fines frisaient le ridicule. Les descriptions osées ne me paraissaient pas évocatrices, les auteurs intarissables sur les nuits où leurs partenaires grimpaient aux rideaux étaient pour moi des hâbleurs. Il n'y avait pas de quoi faire tout un flan.

Je suis loin d'être cucul la praline, mais il faut qu'on m'enrobe la chose, que cela ne reste pas au-dessous de la ceinture. Un peu de romantisme, que diable ! On n'est pas des troglodytes ! Dans mon adolescence, j'avais un faible pour la poésie courtoise, qui me semblait suprêmement aristocratique. Mes frères se répandaient en plaisanteries de corps de garde chaque fois que je savourais ces ballades. C'étaient de petits phallocrates, fiers de leurs attributs virils. Nous n'avions pas, eux et moi, le même père. Le leur était un tyran domestique et un brasseur d'affaires qui dirigeait deux PME florissantes. Il se crevait à accroître le rendement de ses entreprises. Plus les bénéfices augmentaient, plus il se décarcassait pour en faire d'autres, tout en allégeant les frais par des dégraissages. De plus, il creusait sa fosse avec les dents : déjà obèse, il mangeait comme quatre et carburait au bourbon. À ce régime, il s'était vite retrouvé sur un lit d'hôpital, puis dans une bière. Ma mère avait porté le deuil trois mois, le temps de liquider la succession, ensuite, histoire de renouer avec ses racines bretonnes, elle s'était remariée avec un Quimpérois, ébéniste, golfeur et marin d'eau douce, écolo et bonne poire. J'étais leur fille unique, aux prises avec trois loustics qui riaient de moi. Toute mon enfance, mes aînés et moi, on s'était bouffé le nez. Je n'étais pour eux qu'une pisseuse, une mocheté, une chochotte. À chacune de ces amabilités, je leur rentrais dans le lard. Ils m'acculaient contre un mur, tiraient mes tresses, me bousculaient, me donnaient des coups au ventre. Je criais, ils hurlaient. C'était un barouf abrutissant, jusqu'à ce que mon père siffle la fin de la bagarre.

Ces grands baraqués mettaient tout sur mon dos, ma mère me privait de dîner, malgré l'intervention de son mari, qui me trouvait des excuses : je me fâchais tout rouge dès qu'on m'embêtait, mais j'étais quand même une bonne petite. Ma mère ne voulait rien entendre. Selon elle, je piquais ma crise pour des riens, j'étais usante, terrible, je faisais de la provoc, j'avais la grosse tête et un caractère de cochon. Mes frères n'étaient pas à mes yeux des aigles, j'avais toujours l'air de tenir mes parents pour des courges. C'était perdre sa salive que de me gronder, j'étais plus têtue qu'un mulet.

Après ces joyeusetés, où j'en prenais pour mon grade, pendant que les trois brigands se gondolaient, j'allais me coucher en me disant qu'il fallait serrer les poings, qu'un jour ou l'autre, je me hausserais au rang des créatures dont on dit qu'elles sont des natures. Mon mari ne zieuterait pas les nymphettes quand nous nous promènerions ensemble. Il ferait de moi son idole, il ne décevrait pas mes souhaits. Je serais la reine de ses pensées, moi qui ne serais pas frivole, ne raisonnerais pas comme un tambour et tiendrais bon la rampe en toutes circonstances. Je n'avais pas encore d'amoureux que j'imaginais déjà une lune de miel à Florence, un souper aux chandelles dans un palace, des cueillettes dans les bois, des trempettes dans des rivières, des haltes dans des auberges, des grasses matinées dans un gîte d'étape à flanc de colline, des dimanches à Compiègne ou dans la datcha de Tourgueniev à Bougival, des après-midi à l'Orangerie, au milieu des *Nymphéas*, des soirées à Pleyel, pour des concerts de musique de chambre, d'autres au Palais Garnier, pour des ballets russes...

J'avais des rêves de provinciale impatiente de quitter son patelin et d'aller à Paris. Quimper, ma ville natale, n'était pour moi qu'un gros bourg, avec ses remparts, ses rues piétonnes, son monument des filles de la mer, ses festivals folkloriques, ses distractions peu variées. La vie y était un long fleuve tranquille qui aurait dilué mes sensations si je n'avais pas vécu sur le pied de guerre avec une partie de ma famille. Mon père et moi, nous partions fréquemment pour l'île de Sein, célèbre pour son phare d'Ar-Men et ses naufrageurs. J'aimais y braver les bises hivernales, là ou dans d'autres îles de la côte bretonne, dont il était dit : *Qui voit Ouessant voit son sang,* / *Qui voit Molène, voit sa peine,* / *Qui voit Sein, voit sa fin,* / *Qui voit Groix, voit sa croix.* Dans mon ciré jaune, je me juchais sur les murets et j'ouvrais grands les bras pour happer le vent. Plus les éléments étaient déchaînés, mieux je me sentais. La nuit, le rugissement des tornades me tenait éveillée, je jouais à la marelle près de mon lit, ou bien je faisais des coloriages. Dans mes dessins, le soleil était noir, les arbres écimés, les fleurs rouge sang et monstrueuses, les humains des aliens, aux oreilles pointues, à la bouche torse et aux jambes contrefaites. À onze ans, j'avais souvent des coups de mou, compensés par mes poussées d'adrénaline. Mes frères me servaient de punching-balls dans ma partie de boxe contre les gueulards. J'étais toute fluette, mais plus virulente qu'une bactérie, plus prête à déchiqueter qu'un rottweiler. Ma mère m'admonestait parce que je montais comme le lait qui bout à la moindre remarque, parce que j'envoyais même les anciens dans les cordes. Mes criailleries lui donnaient des palpitations, mes séances de larmes lui tapaient sur le système. Mon père, qui m'avait eue sur le tard, gâtifiait avec moi, tant et si bien que je ramenais ma fraise, disait-elle. Heureusement, ses trois fils n'étaient pas du tout culottés comme moi, ils étaient de bons gars. Moi, la petite dernière, je ferais bien de balayer devant ma porte avant de m'en prendre aux autres. Elle me confisquait mon bilboquet et mon hula hoop à chacun de mes coups de griffes. Elle m'expédiait au lit à six heures du soir lorsque son mari et elle se querellaient parce qu'il prenait mon parti, tandis qu'elle ne faisait pas pencher la balance de mon côté. J'avais beau être la cadette, elle ne me céderait pas en tout. Puisque je me comportais en vraie peau de vache, elle était là pour me secouer comme un prunier.

Dodue, elle avait des bajoues et des doigts boudinés couverts de bagues. Quand, aux repas, elle n'était pas dans les meilleures dispositions à l'égard de moi et de son mari, ses yeux jetaient des étincelles. Toute la tablée rentrait la tête dans les épaules. Moi seule ne baissais pas le front. Elle savait que je n'avais pas la langue dans ma poche et que, si elle me tenait des propos aigrelets, je contre-attaquerais sur le même ton. Entre nous, il n'y avait jamais de cessez-le-feu, c'étaient d'incessants tirs de barrage de part et d'autre. Un courant de haute tension nous traversait, je lui retournais ses compliments, j'ironisais sur sa préférence marquée pour le trio infernal, elle me répondait par un autre coup de bec. Mon père, d'une voix timide, l'apaisait en lui disant qu'on ne prend pas les mouches avec du vinaigre. Puis, d'un ton plus énergique, il me conjurait de ne pas aggraver mon cas : j'étais trop mordante, j'avais un humour au vitriol… Calmos ! Il en avait jusque-là de ces ping-pongs où elle et moi on se renvoyait la balle. Pouvait-il déjeuner en paix ? Ma mère, la mine revêche, chiffonnait sa serviette, tambourinait sur la table, avant de lui assener son argument massue : mon éducation était sa chasse gardée, et elle avait fort à faire, puisque j'étais d'une insolence rare. Après cela, je passais un mauvais quart d'heure. Elle accusait son mari d'être envers moi d'une indulgence pousse-au-crime, elle m'infligeait un carton jaune. J'allais voir ce qui me tomberait sur le râble si je ne m'amendais pas. Où donc avais-je contracté cette sale habitude de la faire devenir chèvre ? En voilà, une poison ! Et le trio infernal de branler la tête, pendant que mon père mettait bas les armes et ne proférait plus la moindre phrase en ma faveur.

Lorsqu'elle cessait de m'étriller, elle enfourchait son dada, le péril rouge. Si les cocos se faisaient élire, tous aux abris ! Ils collectiviseraient les biens, ils fiscaliseraient au maximum les revenus du capital, ils saisiraient la belle baraque que son premier mari lui avait léguée, et alors adieu les luxes, même si elle n'avait jamais mené la vie à grandes guides. Ils voteraient des lois contre la bourgeoisie, ils rançonneraient les grosses fortunes, ils privilégieraient le populo, ils ouvriraient les frontières aux macaques du tiers monde, ils avaient déjà bradé l'empire français, ils recevaient des ordres de Moscou. Elle n'était pas partageuse, ses possessions, elle les devait au fait qu'elle était une fourmi. Pas de saignées à son pécule, pas de donation à des cousins dans le besoin ! Le trio infernal acquiesçait, mais aurait aimé qu'elle varie son répertoire. Elle était lancinante avec ses frayeurs de mémé, sûre que les cocos et les rasta-quouères allaient l'entuber, elle qui était d'une avarice légendaire.

Entre mon père, bonasse, et ma mère, qui régentait tout, je gardais un fonds d'indocilité. Il me prémunissait contre le rabougrissement. Je voulais être une *supergirl*, surpasser les moutards de mon âge, qui faisaient les sucrés mais n'avaient rien dans le chou. Ils étaient de la saccharine, moi le sel de la terre. Je me berçais de ces certitudes. Je croissais en joliesse, j'avais d'indéniables qualités, je ne me prenais pas pour n'importe qui, d'autant moins que les grandes personnes me paraissaient toutes un peu branques, quand elles n'étaient pas de vieilles taupes et de vieux fossiles. Je me voyais montant au filet, comme si j'appartenais à une équipe de juniors censée battre des seniors. Je restais concentrée sur mon objectif – ne pas me laisser ratatiner, dresser mes batteries de telle sorte qu'on ne puisse pas m'assaillir à l'improviste, rajuster le tir sans faire ami-ami pour avoir l'avantage du terrain, me réaliser malgré les peaux de banane qu'on me glissait. J'étais comme une insulaire, je me garantissais des immixtions, je me bouclais dans ma chambre, je rechargeais mes accus, et à l'assaut ! Je sautais sur mes frères, qui me faisaient des misères. Je leur aurais poché un œil si j'avais été assez costaude. Ma mère clamait son indignation : « Quelle teigne ! » Je cherchais du rif, j'étais malpolie, intenable, gonflante. À cause de moi, la maison était une vraie foire. Ça bardait de tous les côtés. Hors de sa vue ! Que j'aille donc au piquet ! Pour ma pénitence, il me fallait copier cent fois :

« J'honorerai mes aînés, je serai modeste, je ne ferai pas grand cas de ma petite personne. »

Lorsque je décrivais ces scènes à Van, il disait que je dramatisais tout. Il était certain que je me défendais comme une lionne. Mes frères ne valaient pas la corde pour les pendre, mais je ne devais pas non plus être un ange de douceur martyrisé par de sales bêtes. Ces réflexions me faisaient bouillir. Van ne savait plus que faire quand je le mettais sur la sellette. Et pourtant, même si j'étais d'un tempérament explosif, je ne tirais pas sur la ficelle, je n'instaurais pas le matriarcat. Il n'avait pas sujet de se plaindre d'être entré en ménage. Il lui arrivait, quand il était avec Rachid et Hugues, ses deux complices, de citer le mot acerbe d'un de leurs moralistes : *Le lit conjugal est un tombeau, et le mariage une concession à perpétuité.* Mais c'étaient des généralités qui ne traduisaient pas une saturation. Coutumier de ce genre de sortie, il en atténuait la crudité en faisant le panégyrique de l'éternel féminin. Je me souviens encore de ses topos sur cette part de l'autre sexe que nous contenons tous, et toutes, dixit un écrivain cher à son cœur. L'hermaphrodite est l'avenir de l'homme. Lui, se voulait un assemblage de composantes discordantes, un bouc peut-être, mais aussi un père Serge, qui se trancherait la main plutôt que de s'adonner à la lubricité. Regards langoureux, contacts fugitifs, baisers volés : il n'en demandait pas plus.

Rachid le blaguait à propos des films sentimentaux dont il avait tout un stock, alors qu'il déclarait être un aficionado de Poudovkine et de Mikhaïl Kalatozov, le réalisateur de *Soy Cuba*, hymne à la révolution cubaine, selon moi suspect et esthétisant. Hugues et lui rembobinaient les vieilles cassettes et glosaient sur telle ou telle séquence. Rachid, pour qui le cinéma était un art mineur, détournait en vain la discussion. Ils avaient plein la bouche des fondus enchaînés et des contrechamps. Lorsque je leur disais qu'ils étaient soûlants avec leurs interprétations tirées par les cheveux, ils en remettaient une louche. Ils me rappelaient mes frères : tout pour la frime. Tant pis si j'avais l'air stupide, leurs démonstrations sophistiquées, leurs commentaires brumeux et interchangeables me laissaient de marbre. Contrairement à Van, je n'étais pas une cinéphage, tout le temps fourrée dans les salles d'art et d'essai. J'allais parfois avec Laure voir des superproductions. J'étais bon public, un peu d'action, beaucoup d'effets spéciaux, et j'estimais en avoir pour mon argent. Van déplorait que je ne sois pas curieuse des œuvres underground. Je contribuais au fleurissement de l'industrie hollywoodienne, des majors au détriment des producteurs indépendants, je n'avais aucune culture cinéphilique, si bien que je m'extasiais devant des remakes par ignorance de l'original, je m'assoupissais pendant les projections des huis clos de Bergman, je ne me rendais pas aux rétrospectives de Robert Bresson, je consommais des blockbusters et je ne me référais pas sans arrêt aux dialogues d'Orson Welles ou au MacGuffin hitchcockien.

En un mot, je donnais le mauvais exemple à notre fille, parfois d'une grande paresse intellectuelle. C'était m'incriminer à tort, car je la motivais pour ne pas être une suiveuse. Elle et moi, nous étions pareilles à des duettistes, avec un numéro bien rodé, plein de moqueries à l'adresse de Van. Comme il avait l'esprit de l'escalier, il mettait un temps fou à répliquer, mais quand il le faisait, c'étaient de vrais coups de patte. Sauf que cela tombait à plat, parce que Laure et moi avions déjà oublié nos moqueries et nous nous interrogions : quelle mouche le piquait ? Toutes les deux, nous faisions des gamineries, il puisait dans son sac à malice, nous décochions la flèche du Parthe, il affûtait ses pointes, et *bis repetita placent*. Ça clochait, surtout les dernières années, depuis qu'il courait de plus en plus souvent les bars et qu'il bousillait son travail, lui si scrupuleux autrefois. De moins en moins sédentaire, il glandait dans des cafés, à la maison il ne tenait pas en place, il entassait des livres écornés, des bouteilles d'alcool, sifflées la nuit. Lors des réjouissances chez des éditeurs, ou il se murgeait en roulant des yeux de merlan frit devant toutes les charmeuses, ou il faisait de l'auto-ironie, face à des stagiaires interloquées.

Mon mariage avec lui avait quand même atteint sa vitesse de croisière, le bateau tanguait parfois, mais ne s'échouait pas. Sans Ulma, et le cortège de perturbations qu'elle charriait derrière elle, nous aurions calfaté les voies d'eau et nous aurions tracé notre route malgré les aléas. Elle apparue, Van se détachait de moi. Je ne pouvais rien contre cette vague venue des profondeurs, ni contre l'usure des sentiments de Van pour moi. Je n'avais pas une armure indestructible. Je me croyais inaccessible à la jalousie, la mortelle jalousie qui rend marteau et conduit aux excès d'emportement. Je n'étais pas femme à créer des histoires, j'avais fermé les yeux sur son manège donjuanesque, tant que cela ne tirait pas à conséquence, mais avec Ulma, c'était autre chose. Il était mordu.

Mon feeling me mettait sur la bonne piste. Ils étaient en conformité d'inclinations, ils ne touchaient plus terre quand ils étaient ensemble, il trouvait chez elle ce qui me faisait défaut – l'envie d'être protégée, de le retenir par des liens intangibles. Auprès d'elle, Van brisait ses gaines, lui si possédé parfois. Mais ses phases maniaques avaient pour contrepartie des moments où ses forces s'affaissaient. Il était alors aussi éteint qu'une ampoule grillée, aussi muet qu'une carpe. Puis, quelques jours après, c'était le dégel, il s'était défripé, il rentrait le soir avec du champagne, pour arroser sa résurrection, quoiqu'il ait été juste un peu à plat. Il n'était plus sous pression, il gardait le sourire malgré les contrariétés, il ne passait plus des nuits entières à fumer et à se poivrer, mais nous sortait, Laure et moi, en se montrant charmant, en ne buvant pas trop et en ne cherchant pas la petite bête quand sa fille babillait. Il n'avait pas un ton professoral lorsqu'elle maltraitait exprès la grammaire, lorsqu'elle disait *booster*, *speeder*, *relooker*, *stresser*. Pendant quelques jours, tous trois nous formions presque un tiercé qui aurait pu concourir pour le titre de famille modèle. C'était avant que ne lui parvienne la lettre d'Ulma, astéroïde tombant au beau milieu de notre univers ritualisé. Van, qui approchait de la cinquantaine, cap critique difficile à franchir, avait été changé en statue de sel à la lecture de cette lettre. Tout le passé qu'il avait raturé refluait. Des crêtes avaient déferlé sur le rivage. Van n'était plus le même. Je restais dans l'expectative, mais une violence sourdait en moi. Le soir de l'accident, j'avais pas mal bu dans un pub de la rue Princesse, et je divaguais toute seule au comptoir. M. Grimaldi devait me prévenir dès que Van quitterait l'appartement d'Ulma. Plus les heures s'écoulaient, moins j'avais d'empire sur moi-même. Quand je pris le volant, j'avais la tête qui tournait et le cœur au bord des lèvres. Je pensais seulement avoir avec Van une mise au point. Mais voilà, je ne lui laissai pas le temps de plaider non coupable. Le psychodrame qui n'avait pas éclaté devait avoir une fin funeste...

Laure

Je n'ai pas sommeil, alors je gribouille dans ce journal. Beth Gibbons chante : *How can I forget your tender smile / Moments that I have shared with you...* J'aurais dû faire écouter cet album à Van. Il aurait adoré. Il me disait que je lui cassais les oreilles avec mes disques de rock, même ceux des papys, comme Mick Jagger. Lui, sorti de Ligeti, Chostakovitch et Fauré, il n'y avait plus personne. Ça me gavait, son côté vieux jeu. Lou, au moins, n'est pas larguée quand je lui parle des groupes New Age ou des slameurs. Elle et moi on s'entend à merveille, on luttait pied à pied avec Van. Il m'allumait, je me faisais déchirer chaque fois que je me plantais aux exams. Il était déconnecté de tout, à tel point qu'il avait du mal à me comprendre. Autant il était rudement balèze en linguistique, autant il n'entravait rien à mes ras-le-bol.

Il voulait que je sois à son image, une dévoreuse de classiques, qui écrit dans un style châtié, ne trébuche pas sur l'imparfait du subjonctif, fait des citations textuelles. Tout ça me barbait. Mais maintenant que Van n'est plus là pour me reprendre quand je dis : « Je te ramène quelque chose ? », il me manque.

Je m'étais un peu fritée avec lui peu avant sa mort. Oh ! C'était trois fois rien. J'avais un rancard avec Tommy, qu'il ne pouvait pas voir en peinture. Pas parce que c'est un punk comme on n'en fait plus, mais parce que c'est un bad boy, qui deale à Stalingrad et refourgue du matériel tombé du camion. Il est mon mauvais ange, paraît-il. Je suis tentée par le hasch, je me prends des bulles en géo, je n'en fiche pas une rame.

Tommy vient de Créteil, son père est plombier et sa mère ouvrière dans une conserverie. Il a quatre frères et sœurs, tous gogols. Il est parti de chez lui à seize ans et il créchait jusqu'à avant-hier dans un foyer d'accueil. Je suis comme cul et chemise avec lui depuis qu'il m'a tuyautée sur Rauschenberg et ses Combines, collages faits avec du carton, des bouteilles de Coca, du papier peint, des oiseaux empaillés et des objets trouvés. Il en connaît un rayon sur le Néo-Dada, alors qu'il n'a jamais mis les pieds à Beaubourg. Lui et moi, on se retrouve à la fontaine des Innocents pour aller manger un kebab ou pour faire le lézard près de Saint-Eustache. Ça ne plaisait pas à Van que je me balade par là. Pour lui, c'est un coupe-gorge le soir. Ça ne lui plaisait pas non plus que je copie Tommy, que je dise combien il est chou, démerdard, marrant. Un sacré phénomène ! Ça plaisait d'autant moins à Van qu'à cause de lui j'avais été mêlée une fois à un baston entre deux bandes des Halles. Tommy avait reçu un direct, moi j'avais pris un gadin. Quand je m'étais redressée, les keufs nous encerclaient et rétablissaient l'ordre : « Tout le monde au poste, et celui qui fera le mariolle sera en garde à vue toute la nuit ! » Je n'avais pas été embarquée, mais Tommy, oui. Il avait été relâché quelques heures après, il était en pétard, prêt à bouffer du flic. Je n'avais réintégré mon chez-moi qu'à minuit, Van m'était tombé dessus. Il avait fallu que je retrace toute mon équipée. Lou, tirée de son lit, avait pris ma défense. Rien ne faisait fléchir Van, il était à bout de patience, à cause de mes quatre cents coups. Je jouais à l'adulte, mais si on me pressait le nez, il en sortirait du lait. D'ailleurs, à quoi bon me passer un shampoing, c'était comme si on flûtait. J'avais la tête dure et j'en faisais de belles. Je voulais m'évader de la cellule familiale, mais chaque fois qu'il y avait un blème, je rentrais la queue basse, pour être près de papa et maman. Au lieu d'étudier, je traînais avec Tommy. Il n'a même pas le brevet, il a couché sous les ponts, il fume du kif, il en vend, il lui arrive toujours des bricoles, ses parents l'ont jeté dehors, il a failli être coffré plusieurs fois. Il veut être un homme, un vrai, mais il est mal barré, dans le temps il aurait été en maison de correction. Voilà ce que me disait Van, tout en m'interdisant de le fréquenter.

On a été en froid après ça. Il tirait la tronche, j'avais avalé ma langue. Lou était sûrement déjà préoccupée par les photos d'Ulma et de Van que son détective lui avait remises. Je n'ai vu Ulma qu'au cimetière de Bobigny, quand on a descendu le cercueil de Van en terre. Elle est glamoureuse, avec une coupe de cheveux à la Louise Brooks, des yeux de chat, des lèvres rouge cerise, des jambes toutes fines, des vêtements très classe. Mais elle ne m'a pas paru d'approche facile. Elle se tenait à l'écart, loin de Lou surtout, elle n'avait serré la main à personne, pas même à Hugues, qui l'avait saluée en inclinant la tête. Elle avait sous le bras un petit livre relié en cuir brun. Peut-être qu'elle y avait coché un extrait à lire en hommage à Van.

Il faisait un temps de chien, la pluie tombait à verse et rendait glissantes les allées jonchées de feuilles jaunies. On était tous frigorifiés, moi j'avais le nez bouché, un pépin qui s'était retourné, si bien que des gouttes d'eau transperçaient mon manteau. Je battais la semelle pendant que Hugues faisait l'éloge de Van, et que Rachid me tapotait affectueusement l'épaule. Je réprimais mes larmes, mais mes yeux se mouillaient. Lou m'a tendu un mouchoir. Elle avait une de ces mines… Les convocations chez le juge n'y étaient pas pour rien. Elle évitait de regarder du côté d'Ulma. Elle l'avait pourtant invitée à l'enterrement en lui envoyant un faire-part. C'est strange ce qui se passe entre elles. Van a deux veuves. L'une a causé sa mort, l'autre doit quand même se sentir une part de responsabilité dans le « tragique enchaînement de circonstances », comme aurait dit Van. Je m'applique pour choisir des expressions qu'il aurait employées s'il avait été encore là. Je m'applique aussi pour ne juger ni Lou ni Ulma. Je ne connais pas les coulisses de l'affaire, je n'ai donc pas le droit d'appuyer là où ça fait mal.

Le jour de l'accident, Lou m'avait réveillée et m'avait annoncé tout à trac : « J'ai renversé ton père. » Puis elle était allée dans la salle de bains pour se doucher. J'étais tellement sciée que je n'avais pas bougé de mon lit. Les mots de Lou s'entrechoquaient dans ma tête. Ils n'avaient aucun sens pour moi. Pourquoi Lou aurait-elle écrasé Van ? Qu'est-ce qu'elle faisait à Saint-Germain en pleine nuit ? J'avais dû rater un épisode. Ce n'était pas rose les derniers temps. Van s'absentait souvent le soir, quand il était à la maison il ne décollait pas de son bureau, un cendrier rempli de mégots et des canettes de bière à portée de la main. Il prétendait qu'il bossait, qu'il était à la bourre, mais au bout d'une après-midi, il en était toujours à la même page du manuscrit. Lorsqu'un coup de fil des éditeurs l'arrachait à ses rêvasseries, il avait l'air tout ahuri, comme si on lui avait collé un pain sur l'occiput. Lou n'était pas dans son assiette, elle se faisait des décoctions d'herbe, elle n'ouvrait presque jamais la bouche quand Van était là, ou alors elle faisait des allusions perfides. Le nom d'Ulma ne venait pas sur le tapis, le mot « trahison » n'était pas prononcé, c'étaient des « semonces feutrées », disait Van. Lou affichait un flegme olympien, mais intérieurement, elle était un volcan en éruption. Van essayait de dégager en touche, mais il la prenait à contre-poil, tout en baissant le nez. Lou avait les boules, Van des variations d'humeur, puis ils se rabibochaient, elle lui donnait du « mon amour », ils se retiraient dans la chambre pour se faire des câlins, et c'était reparti comme en quatorze. D'après Van, il était un bipolaire, avec des up et des down qu'il ne contrôlait pas. Lou, elle, était d'un naturel directif et susceptible.

Elle lui en faisait voir parfois, surtout les six derniers mois. Elle l'ignorait, ou elle le détaillait d'un œil noir lorsqu'il demandait pardon d'être rentré seulement à cinq heures du mat. Elle dormait dans le clic-clac du salon. Elle ne mijotait plus de bons petits plats pour lui, le fin gourmet, obligé de se farcir des surgelés. Elle flanquait à la poubelle ses flacons d'armagnac, elle vidait dans l'évier ses bordeaux à peine entamés. Elle faisait du boucan quand il siestait. Elle disait qu'il se les roulait pendant qu'elle se multipliait, en étant une fée du logis, une hyperactive, une directrice d'école submergée et celle qui fournissait à la maisonnée le nerf de la guerre. Elle chipotait sur les dépenses, elle chiffrait les pertes, elle resserrait les boulons quand, par sa faute à lui, ils étaient dans le rouge. Elle ne lui adressait la parole que pour le sermonner. Il dilapidait leur argent, il jouait les Arlésiennes lorsque ça tournait au vilain, il n'avait pas l'œil sur moi, mes études, il s'en contrebalançait depuis quelque temps, elle se coltinait les corvées, c'était elle qui négociait avec leur banquier, elle qui bouclait leur budget, elle qui faisait la bonniche tous les jours, l'infirmière quand il crachait ses poumons. Elle farfouillait dans son secrétaire, qu'il ne fermait pas à clé, et dérangeait tout. Elle tenait une comptabilité précise de ce qu'il lui cachait. Pas une note, pas une bafouille qu'elle n'ait examinée. Elle disait que, grâce à ses enquêtes, elle avait des « preuves de sa canaillerie ». Au bout de vingt ans, en arriver là !

Les nuits où il découchait, elle affirmait devant moi qu'elle allait reprendre sa liberté. Mais quand il revenait, elle se taisait. Pourquoi est-ce qu'ils ne reconnaissaient pas qu'ils trichaient l'un avec l'autre ? Pourquoi est-ce qu'ils n'en finissaient pas une fois pour toutes en se jetant à la tête leurs quatre vérités ? La situation se serait décantée s'ils s'étaient expliqués. Mais, sur l'essentiel, elle n'y allait pas franco, elle effleurait le sujet, comme si elle s'en fichait royalement. Et pourtant, je peux en témoigner, elle était en combustion, tantôt furibonde, tantôt faussement débonnaire, l'air de se dire que la vengeance est un plat qui se mange froid.

Dans les moments où elle n'était pas trop remontée, elle me faisait l'historique des premières années de mariage. Ils m'ont prénommée Laure parce qu'ils s'étaient embrassés pour la première fois au pied de la statue de Laure de Noves au Luxembourg. En ce temps-là, il était follement amoureux d'elle. Il n'était pas le seul. Elle avait de nombreux soupirants. Elle n'avait que l'embarras du choix, mais elle a fait de Van « l'élu de son cœur ». Oh ! Elle n'avait pas l'intention de se marier vite, elle n'avait pas besoin d'un intello qui la brieferait sur l'existentialisme, encore moins d'un correcteur qui ne gagnait pas des mille et des cents. Elle habitait une studette joliment arrangée rue des Abbesses, elle avait un salaire convenable, un métier prenant, des amies avec qui aller en boîte. Elle était bien roulée, de beaux garçons « mouraient de désir » pour elle, mais elle n'était pas de ces pouffes qui cherchent à attraper un amant, elle avait « la volonté bien arrêtée de ne pas accorder ses faveurs avant la cérémonie nuptiale », comme elle dit dans son langage d'autrefois. Comment est-ce qu'elle s'était décidée à vivre avec Van ? Peut-être parce qu'il était le plus pacifique des deux. Il faisait toujours le premier pas lorsqu'ils s'étaient fâchés. Peut-être parce qu'il était un réfugié et qu'à vingt-deux ans elle faisait des dons à Amnesty International. À mon avis, elle rachetait je ne sais quoi (les mauvaises actions de ses ancêtres les colonisateurs ?) en choisissant Van. Non, j'extrapole à partir de ce que j'ai entendu. Elle parlait tout le temps de Diên Biên Phu. Dans cette cuvette, les Vietnamiens avaient pris les Français en étau, jusqu'à ce qu'ils capitulent. Elle épluchait de vieux articles sur la décolonisation. Elle est devenue la marraine d'une petite Laotienne qui peut aller en classe grâce à elle et ne plus tresser des paniers toute la journée. Elle a souscrit à des ONG, puis a stoppé ses versements, parce qu'elles sont, d'après elle, gérées par des brêles. Elle se dit du centre gauche, après avoir été une socialo bon teint.

Van, lui, n'avait même pas sa carte d'électeur, il était obnubilé par la montée en puissance des frontistes, mais il ne votait pas pour le camp adverse. Il lisait les lettres de Rosa Luxemburg, *L'Insurrection qui vient* du Comité invisible, les interviews de Julien Coupat sur les provocations d'une « oligarchie mondiale et française aux abois » : ça ne manquera pas d'amener des débordements. Coupat était accusé d'avoir saboté les caténaires de la SNCF. Les flics le rangeaient, lui et les membres de la revue *Tiqqun*, dans la mouvance « anarcho-autonome », comme ça ils pouvaient « reléguer dans l'inexplicable » leur révolte. J'ai encore la coupure de presse, avec des passages surlignés par Van. Quand il me branchait sur ces questions, je nageais complètement, mais maintenant tout est limpide pour moi. Sauf que je veux bien être pendue si je comprends pourquoi mon père, qui avait fui un pays totalitaire, plaidait pour la révolution d'Octobre. Le mur de Berlin était tombé et le bloc communiste s'était désagrégé quatre ans avant ma naissance. D'après Lou, Van avait suivi les événements dans les journaux et les magazines comme si son sort en dépendait. Peut-être qu'il espérait une libéralisation au Vietnam. Mais pour lui, « le capitalisme sauvage allait se substituer au collectivisme ». Il n'y en aurait que pour les mafieux, les masses laborieuses se retrouveraient sans rien...

J'écris dans ce journal pour qu'il reste quelque chose de Van. Je ne disais plus « papa », je me plaignais de lui lorsque je voyais Tommy, j'étais souvent à l'origine de nos accrochages. Maintenant, je m'en repens. J'aurais dû être une courroie de transmission entre Lou et Van. Au lieu de ça, je les ai excités l'un contre l'autre, par jeu, puis petit à petit pour relever un challenge : ne plus être un bébé emmailloté d'interdits, mais un spécimen complet, presque majeur et vacciné, qui n'a pas les deux pieds dans le même sabot et aimerait bien que ses parents lui lâchent les baskets. Van disait que je voulais voler avant d'avoir des ailes. Pour lui, j'avais toujours six ans et des dents de lait. Il se bilait quand je prenais le métro à onze heures du soir, quand j'allais dans des quartiers craignos, quand je faisais la teuf avec Tommy en fumant des pétards et en bombant des portails, j'étais sur une pente savonneuse, s'il n'avait pas eu l'œil à tout, j'aurais été de dégringolade en dégringolade, sacquée par les profs, virée du bahut, embringuée dans de sales histoires.

Je poussais parfois le bouchon un peu trop loin, c'est exact. Mais on n'est pas sérieux quand on a dix-sept ans. On l'est encore moins quand on a un père légèrement barge. Un jour il me disait qu'il ne faut pas rester dans les clous et me félicitait de ne pas être comme toutes les adolescentes standard, le lendemain il mangeait son chapeau et m'avertissait qu'on ne sort pas des rails impunément, sans un minimum d'obéissance aux codes, c'est le crash assuré. Je lui démontrais par a + b que, vu mon patrimoine génétique, je ne pouvais qu'être un électron libre. Il n'était pas comme tout le monde, je ne suis pas très catholique. Seule Lou a du bon sens. Enfin, je le croyais, jusqu'à cette nuit où elle a renversé Van. Qu'est-ce qui a fait tilt dans sa tête ? Elle l'espionnait depuis des mois, elle en avait gros sur la patate, mais qui aurait parié qu'elle allait péter une durite ? Elle semblait avoir du self-control. Comme quoi, il ne faut pas se fier aux apparences. Elle est si lisse qu'on la suppose incapable de perdre les pédales. Même quand elle s'engueulait avec Van, elle restait rationnelle. C'était lui qui avait des dérapages verbaux, alors qu'il était plutôt du genre à surveiller ses expressions. Qu'est-ce qui a fait que Lou s'est dit : « Ça suffit ! » Il se foutait de sa gueule ? Je n'en sais fichtre rien. Et ce n'est pas à deux heures du mat que j'aurai une illumination. Basta ! Ma cafetière chauffe trop. Il faut ralentir le rythme. *Chi va piano, va lontano.* Dodo ! Demain il fera jour.

Aube

Van

Je suis né à Saïgon, l'année de l'assassinat de Kennedy. Dans les bars près de la rue Catinat, les filles à soldats se vendaient aux G.I. pour presque rien. Le sida n'était pas encore un fléau, mais les hôpitaux regorgeaient de vénériens. Dans ces années-là, des brigades du FNL, le Front national pour la libération du Vietnam, construisaient la piste Hô-Chi-Minh. La photo de la petite fille brûlée au napalm faisait le tour du globe. Mme Nhu, la première dame du Sud-Vietnam, jubilait devant ce qu'elle appelait un *barbecue*, l'immolation par le feu des bonzes qui protestaient contre la répression menée par le président proaméricain Ngô Dinh Diêm. Hal Ashby n'avait pas encore réalisé *Retour*, où des vétérans, physiquement et mentalement atteints, se remettent mal de leur aventure dans la jungle vietnamienne.

Ma mère était interprète au consulat de France, c'est pourquoi dès l'âge de cinq ans, j'avais commencé des études au lycée français. Encore en culottes courtes, je déclamais des poèmes de Péguy sur Jeanne d'Arc, je récitais des vers de Lamartine, *Un seul être vous manque et tout est dépeuplé*, je connaissais la date du massacre de la Saint-Barthélemy, de la prise de la Bastille, du procès Dreyfus, mais quand on m'interrogeait sur les dynasties de mon pays, c'était la colle. Je ne savais pas qu'au quinzième siècle, Lê Loi, dit *le Seigneur du royaume pacifié*, s'était insurgé contre la mainmise chinoise et que, selon la légende, il aurait été secondé dans son combat par le Ciel, qui avait mandaté un pêcheur pour lui donner une épée repêchée dans le lac, avant d'en exiger la restitution une fois qu'il avait gagné la bataille.

Ma mère, francophile bien que fille d'un opposant à la domination française en Indochine, ne s'occidentalisait pas pour autant, elle portait la tunique traditionnelle et des nu-pieds achetés au marché, elle dormait sur des nattes, cuisinait au charbon, allait dans les pagodes, allumait des baguettes d'encens sur l'autel des aïeux. Elle avait vingt-sept ans quand elle me mit au monde. Mon père était en province, chez son frère. Il se croyait stérile, et c'est non sans surprise qu'il avait appris la grossesse de celle qui était sa compagne depuis plusieurs années. Ils vivaient dans une toute petite maison que ma mère avait héritée d'une tante. Mon père, pourtant sorti de la fac de lettres, était allé tirer à toutes les sonnettes avant de trouver des petits boulots par-ci, par-là. Il rafistolait des montres chez un horloger, livrait des colis pour des boutiquiers, vendait des billets de loterie, des cigarettes, des remèdes de bonne femme, du jus de canne à sucre. À l'époque, ma mère restait au foyer. Elle ne devait s'atteler à la recherche d'un emploi qu'après le départ pour Hanoï de son mari, fiché comme sympathisant des communistes nord-vietnamiens. Il rencontrait des agents du FNL, il haïssait les Ricains et leurs alliés qui gouvernaient le Sud en s'arrogeant des richesses, après la partition du pays en deux territoires, prosoviétique au-dessus du dix-septième parallèle, pro-occidental au-dessous. Quand, en 1963, une junte militaire refroidit l'impopulaire Ngô Dinh Diêm, il fut de ceux qui y voyaient un ébranlement du régime autocratique soutenu par le Pentagone. Avec d'autres laissés-pour-compte, il approuvait les attentats viet congs, il jurait fidélité à Hô Chi Minh. Il lui tardait de fraterniser avec les bô dôi, qui avaient creusé les tunnels de Cu Chi, abris des résistants de Saïgon, et, sous le commandement d'officiers formés par des instructeurs de l'URSS, maniaient des Kalachnikov.

Venu du delta du Mékong, il ne s'était pas fait à la trépidation de la capitale de l'ancienne Cochinchine. Il condamnait son américanisation, son culte du dollar. Il n'avait pu aller à la fac que grâce à un de ses oncles, joaillier prospère mais pas charitable au point de lui offrir le gîte et trois bols de riz par jour sans contrepartie. Dans sa villa cossue, mon père était le domestique de ses cousins, il lavait leur linge, repassait leurs chemises, cirait leurs chaussures, faisait le marché, servait à table, balayait le plancher, nettoyait la piscine où ils se baignaient après leurs agapes. Ils lui faisaient sentir qu'il était un bouseux et un inutile, ils ne lui donnaient que les restes de leurs dîners et ne lui refilaient que des habits usés jusqu'à la corde. Humilié, mis à toutes les sauces, mon père fondait de grandes espérances sur l'avènement d'un socialisme à visage humain, sur l'instauration d'une société où l'argent ne primerait pas le droit.

Quand il fit la connaissance de ma mère, il n'avait

qu'un poste de secrétaire chez un exportateur de laques, qui le congédia en découvrant ses positions extrémistes. Il tentait de convertir les autres salariés à la croisade de Hô Chi Minh, il faisait circuler des écrits qui incitaient les mobilisés du Sud à l'objection de conscience, à la rébellion contre les classes dirigeantes, contre l'occupant. Il était d'un manichéisme indéracinable : d'un côté, les méchants, les Yankees et les valets de l'impérialisme, de l'autre, les bons, les exploités qui peinaient comme des forçats, et les patriotes entrés dans la Résistance. Il avait foi en la stratégie du général Giap, à la tête des opérations de l'armée de partisans, composée de coolies et de montagnards habiles à se rendre invisibles, experts à acheminer par tous les temps les ravitaillements et les munitions, à bâtir des caches, à camoufler les nids de mitrailleuses, si durs au mal que ni la faim, ni le paludisme, ni les infections virales ne les terrassaient, si déterminés que les frappes chirurgicales de l'US Air Force ne les démoralisaient pas, parce qu'ils se souvenaient du mot de Hô Chi Minh sur le tigre et l'éléphant : *Si jamais le tigre s'arrête, l'éléphant le transpercera de ses défenses. Seulement le tigre ne s'arrêtera pas. Il se tapit dans la jungle pendant le jour pour ne sortir que la nuit. Il s'élancera sur l'éléphant et lui arrachera le dos par grands lambeaux puis il s'enfoncera de nouveau dans la jungle obscure. Et lentement, l'éléphant mourra d'épuisement et d'hémorragie.*

Mon père disait à sa femme que bientôt ces bandes dépenaillées vaincraient la première puissance mondiale, comme elles avaient défait les bataillons français. Alors, il serait aux côtés de ces apôtres de la liberté. Il préméditait de partir pour le Nord, d'aller, avec d'autres, grossir les rangs des troupes de Giap. Mon arrivée dans la famille bouleversa son programme, mais pas pour longtemps. Je n'avais pas un an quand il disparut un beau matin en laissant à ma mère une lettre où il la priait de ne pas lui tenir rigueur, il répondait à l'appel de la patrie, il ne pouvait vivre une petite vie de père tranquille, alors que les bombardements sur Hanoï s'intensifiaient, que des avions américains épandaient de l'agent orange, que dans les villages des civils étaient massacrés. Il reviendrait dès lors qu'il aurait concouru à la réunification du pays. Il la tiendrait au courant de l'aboutissement de son œuvre votive, de son ascension, de l'épave vers le guerrier. Mais dix années passèrent sans que ma mère reçoive la moindre nouvelle, jusqu'à ce dimanche de septembre 1974, huit mois avant la prise de Saïgon par les Nord-Vietnamiens, où un inconnu heurta à sa porte et l'informa que mon père, devenu un cadre du Parti, était mort d'une rupture d'anévrisme. Il n'avait pas vu le drapeau rouge avec son étoile jaune à cinq branches flotter sur les édifices de ma ville, le rouge symbolisant le sang versé durant la lutte pour l'indépendance, et l'étoile à cinq branches l'unité des ouvriers, des soldats, des paysans, de la jeunesse et des intellectuels. Il n'avait pas vu l'oppression, la stigmatisation des droitiers présumés, la délation entre parents et enfants. Il n'avait pas vu non plus la famine dans les campagnes, les bousculades devant les centres de distribution alimentaire, les camps de rééducation et la fuite massive d'une partie de la population qui affrontait les gardes-côtes et les pirates en prenant la mer dans des embarcations vétustes et en surcharge.

Au cours de la décennie où il nous avait laissés, aucun proche ne nous aidait, les voisins nous tenaient en suspicion, ils jasaient sur lui depuis qu'il avait rejoint les viet congs. Engagée comme interprète, ma mère me confiait pendant la journée à une nourrice de l'ethnie hmong, qui vint loger chez nous. C'était une maigrichonne grêlée, très cajoleuse, elle me berçait tout doucement en me donnant du lait Guigoz. Quand je fus en âge d'avaler des repas plus consistants, elle me préparait des liserons d'eau et du riz gluant, ou des pâtés impériaux et du porc au caramel. Lorsque j'avais des coliques et que, plié en deux, je pleurnichais, elle s'effrayait et courait les étals du marché pour trouver du baume. Elle avait dépassé la quarantaine sans s'être mariée. Les Hmongs, enrôlés par les Français puis par les Américains pour servir d'éclaireurs, n'étaient pas en odeur de sainteté, même auprès des anticommunistes. Une discrimination s'exerçait contre eux. Ma nourrice se faisait toute petite chaque fois qu'elle parcourait les rues. Elle était souvent agressée verbalement, elle en était d'autant plus craintive et n'osait pas marchander. Les vendeurs de soupe lui salaient la note, les poissonnières lui faisaient payer cher des crevettes qui n'étaient pas de première fraîcheur, et elle ne disait rien. Le soir, à son retour du consulat, ma mère la déchargeait des tâches ménagères, faisait la lessive, récurait les casseroles, briquait le carrelage, reprisait mes shorts troués, taillait mes chemisettes dans de la bonne cotonnade, pendant que, sous l'éclairage d'une lampe à pétrole sortie à cause d'une coupure d'électricité, je révisais mes conjugaisons. Les deux femmes mettaient les petits plats dans les grands le jour de mon anniversaire. Je m'empiffrais de Vache qui rit et de chocolat qui venaient de France.

Ainsi entouré, je ne m'affligeais pas trop, en grandissant, de l'absence de mon père, dont la photo au mur me rappelait constamment qu'il nous avait quittés. Avant que j'aille à l'école et que ma mère m'explique pourquoi il était parti, toutes les fois où, allongé sur ma couchette, je le réclamais, elle me montrait sa propre ombre, projetée sur le mur, me disant qu'il était là. Je m'étonnais d'avoir un père qui se levait d'un même mouvement que ma mère, faisait les mêmes gestes qu'elle, mais restait silencieux et n'apparaissait qu'à la tombée de la nuit, quand les lumières n'étaient pas éteintes.

Ma mère, tout au long de la décennie où son mari avait brisé les liens familiaux, n'avait jamais une parole dictée par l'aigreur, ni une conduite indigne. Laissée seule avec un enfant en bas âge, elle ne s'était pas apitoyée sur son sort ni ne s'était dépêchée de chercher un homme à même d'assurer sa subsistance. Elle n'avait vécu avec mon père que pendant cinq années, mais c'étaient cinq années ineffaçables. Mal guérie de l'avoir perdu, elle vivait sa viduité avec une force stoïcienne.

Si mon père n'avait pas pris la tangente, je n'aurais vraisemblablement pas suivi les cours du lycée français. Il était un défenseur de la langue et de la littérature vietnamiennes. En aucun cas, il n'aurait accepté que je francise tout, que je sois au fait des coutumes hexagonales, mais à la traîne lorsqu'il s'agissait des pages de l'histoire de la péninsule indochinoise. Même si je portais des jeans et des tennis, contrefaçons des baskets fabriquées en Europe, j'étais bien éloigné de vouloir singer les Germanopratins. Mais ma culture me rapprochait d'eux. Je ne savais rien du confucianisme, mais tout des Tables de la Loi, pas grand-chose des contes vietnamiens sur le génie de la montagne et celui des eaux, mais tout de la mythologie latine, pas grand-chose non plus des chansons populaires que chantaient les paysannes dans les rizières, mais tout des rengaines des yéyés. Mon évolution aurait consterné mon père, si attaché à l'Orient. Avec ma mère, je m'étais mis à parler français. Ma nourrice avait regagné son village depuis que j'avais eu huit ans. Je n'avais donc pas à traduire pour elle les gallicismes tirés de mon dictionnaire. Ma mère imitait l'accent méridional, m'enseignait des régionalismes, comme *ensuqué, niaiseux, jobastre...* Elle m'encourageait à lire de volumineux romans publiés à Paris, à en extraire des mots familiers et des mots précieux pour bien les agencer en phrases, à pratiquer le français avec mes camarades. Je maîtrisais de mieux en mieux cet idiome au détriment de ma langue natale. En sixième déjà, j'étais ferré à glace sur les embûches inventoriées dans le Grévisse, en revanche mon lexique vietnamien s'appauvrissait. Ma mère ambitionnait de m'envoyer plus tard à la Sorbonne, si je parvenais à décrocher une bourse. Elle disait que, au pays, les perspectives étaient bouchées, quand bien même je serais une valeur, je n'aurais aucune occasion de cultiver mes dons. Dans un Vietnam en guerre, tout était incertain, elle ne m'exposerait pas à me marginaliser, comme mon père, lui, parce que la politique lui était montée à la tête, moi, parce que mes études ne me mettaient pas en posture d'occuper une charge en rapport avec mes capacités.

Dans l'ensemble, jusqu'à la chute de Saïgon, nous ne manquions pas du nécessaire. Elle avait de quoi s'acquitter envers les prêteurs sur gages, payer l'école, faire repeindre les volets et couvrir la table de victuailles au Nouvel An. Nous pouvions même nous permettre de petits extras, comme d'assister à un opéra. Certes, je n'allais pas en classe dans une voiture avec chauffeur comme la plupart des élèves du lycée français. Ma mère m'y emmenait à bicyclette. Je la suppliais de me déposer à quelques rues de l'entrée pour ne pas être vu descendant d'un vélo rouillé et tout cabossé. Je racontais des craques à mes quelques amis, je m'inventais un père P.-D.G. d'une firme à Hong Kong, qui avait fait dessiner par un architecte les plans d'une villa tip top pour nous accueillir ma mère et moi dès que le chantier serait terminé. D'autres fois, je proclamais qu'il était pilote de ligne, un vrai coq auprès des hôtesses de l'air, ou encore qu'il était un professeur Tournesol, génial scientifique couvert de lauriers. Je ne fichais personne dedans, mais je fabulais tant et plus. J'avais à peine dix ans, et je ne voulais pas admettre que mon père nous avait abandonnés. J'étais presque soulagé en apprenant sa mort. Être orphelin m'allait, j'avais la possibilité de poser au mélancolique, même sans public, car durant ces mois où les Américains se désengageaient militairement, ma classe se vidait de ses collégiens, leurs parents, prenant les devants au cas où les viet congs entreraient dans Saïgon, s'étaient enfuis avec eux en Thaïlande ou à Singapour.

De la journée du 30 avril 1975, celle de la victoire communiste, je n'ai que quelques réminiscences : le ballet d'hélicoptères au-dessus de l'ambassade des États-Unis, où des milliers de candidats à l'émigration essayaient de se sauver par tous les moyens. D'autres, en pleine panique, se hissaient à bord des navires US croisant au large. Des combats qui faisaient rage autour de Saïgon, le seul signe dans mon quartier était le lointain grondement des canonnades. Les habitants s'étaient calfeutrés, mais rien n'indiquait que la ville allait devoir saluer les vainqueurs. Pour beaucoup, le *wait and see* était la meilleure attitude à avoir. Fallait-il envisager des représailles de la part des bô dôi ? Les fonctionnaires de l'ancien régime qui n'avaient pu s'envoler pour l'étranger détruisaient toute trace de leurs bons et loyaux services. Ils tremblaient d'être rangés parmi les contre-révolutionnaires.

Les trois premières années après la déroute des G.I., les temps étaient durs. Des gens, dont le logement avait été réquisitionné, étaient déplacés vers les nouvelles zones économiques pour mettre les régions forestières en culture. Ma mère et moi nous nous levions à quatre heures du matin et faisions la queue devant les magasins d'État. Au bout d'une très longue attente, nous emportions des brisures de riz, deux cents grammes de sucre et un peu d'huile. C'était l'ère des restrictions, le manque de vivres était tel qu'au marché noir les prix flambaient. Mais les esprits étaient surtout hantés par les incidents de frontière entre le Cambodge et le Vietnam, qui laissaient planer la menace d'un conflit.

Les Khmers rouges avaient ravivé chez les Cambod-
giens une inimitié séculaire contre les Vietnamiens,
dont les chefs, sous couleur de délivrer leurs voisins
de Pol Pot et de ses génocidaires, risquaient de tenter
une incursion au Kampuchéa. Ma mère appréhendait
de me voir incorporé dans un régiment, bien que je
n'aie pas quinze ans. Depuis l'automne 75, mes cours
avaient lieu à l'Institut français, mais elle se demandait
comment moi, avec mes intonations de Parigot, j'allais
trouver une place dans la nouvelle société, où les xéno-
philes étaient taxés d'antipatriotisme. Elle n'avait pas
renoncé à l'idée de faire jouer ses quelques relations au
consulat afin que je puisse être du nombre des natu-
ralisés français rapatriés dans l'Hexagone.

Un chargé de mission facilita ses démarches et, en
1978, alors que la mobilisation était décrétée et que le
Vietnam s'apprêtait à investir Phnom Penh, elle réus-
sit, en donnant des enveloppes, à me procurer un visa
pour Paris. Le chargé de mission, qui devait y retourner, avait consenti à être mon tuteur et à m'offrir
le vivre et le couvert une fois que j'aurais débarqué
à Roissy. J'échappais ainsi au sort des boat people,
entassés sur des rafiots en dérive. J'étais conscient de
mon privilège et ne doutais pas que je ferais la fierté
de ma mère en étant un étudiant de grande valeur,
peut-être même un de ces doctorants mallarméens
versés dans l'herméneutique de la poésie symboliste.
Bientôt, me disais-je, je trottinerais par les rues de
Saint-Germain-des-Prés, je traînerais mes bottes à
la Bibliothèque nationale, au Louvre, je musarderais
sous les arcades du Palais-Royal… J'en oubliais que
j'allais faire mes adieux à ma mère. Elle continuerait
à avoir une existence pénible, dans un État soumis à

l'embargo et tributaire de l'aide soviétique, pendant que je jouirais des agréments d'une vie où, croyais-je, j'aurais tout en abondance.

Sylvère, mon futur tuteur, avait les épaules assez larges pour, en plus de ses deux jumeaux, m'élever. Philatéliste, footeux, fana des Doors, il avait roulé sa bosse, allant de Dakar à Phuket, de Zanzibar à Brasilia, avant d'entrer dans la diplomatie. Il s'exprimait mal en vietnamien, mais du moins avait-il fait l'effort de prendre des leçons auprès d'un Saïgonnais. Il m'avait d'emblée adopté, et ce fut de bon cœur qu'il promit à ma mère de me mettre en selle dès que je poserais un pied sur le sol français. Il se proposait d'être, plus que mon tuteur, mon parrain, et de veiller à ce que, diplômé, j'aie toutes les chances de faire partie des cénacles les plus fermés en étant le poulain d'un prof d'université. Ses deux fils, collés même aux épreuves de rattrapage, avaient les bras à la retourne et une tendance à mener grand train, puisque leur père subvenait à leurs frais. La vingtaine révolue, ils n'avaient plus l'âge de quémander auprès de lui quelques billets, mais ils le faisaient régulièrement. Pendant leur séjour au Vietnam, ils passaient leur temps à jouer au tennis afin de perdre de l'embonpoint, à aller choisir des costumes chez le tailleur, à courir les filles en se flattant d'en tomber plusieurs, à fumer de l'opium et à hanter les mauvais lieux de Cholon, le quartier chinois, en bons colons qui ne se commettaient avec les indigènes que pour faire la foire. C'était leur père qui remboursait leurs créanciers, parlementait avec la famille des demoiselles qu'ils avaient compromises, avec les patrons des tripots où ils avaient des dettes. Après 1975, le

Sud-Vietnam n'étant plus le paradis des fêtards, ils s'étaient fait la malle, direction Paris, pour se précipiter dans la dissipation. Écœuré par les turpitudes de ses jumeaux, quoiqu'il n'en dise rien, Sylvère me considérait presque comme un fils, auquel il léguerait ses quatre vertus cardinales. Du cran, de l'impartialité, je n'en étais pas dépourvu, quant à la prudence et la modération, c'était une autre paire de manches.

Je ne devais être présenté à la femme de Sylvère qu'à l'aéroport, une heure avant l'embarquement : c'était une rousse très maigre, un peu hommasse, coiffée à la garçonne, avec d'expressifs yeux verts, une voix de violoncelle et un sourire qui ne paraissait pas trop de commande. Elle m'inspectait de la tête aux pieds, l'air d'un maquignon évaluant un canasson. Je piquais un soleil, j'aurais voulu rentrer sous terre. Mon ballot à la main, je balbutiais quelques mots de remerciement, comme un gosse trop content d'être du voyage, même s'il venait de presser sa mère dans ses bras pour la dernière fois et qu'il allait s'exiler pour longtemps. Je n'avais dans mon sac que des gilets mi-saison, des polos et des pantalons en toile. Or, il neigeait sur l'Île-de-France, me disait Sylvère, qui me conseillait d'enfiler plusieurs tricots les uns par-dessus les autres, pour ne pas prendre froid.

J'avais gardé en mémoire des illustrations de la méthode Boscher : dans une grande pièce illuminée, un feu de cheminée, un sapin enguirlandé, des cadeaux au papier multicolore et, au-dehors, un bonhomme de neige, des lutins sur des traîneaux... Pendant longtemps, chaque fois que je me représentais l'Europe, me revenaient ces images d'un intérieur cosy. J'allais peut-être avoir un home tout aussi agréable, mais je n'aurais plus ma mère près de moi. Elle vivrait dans le dépouillement, tandis que je croquerais le peu d'argent qu'elle avait pu rassembler et qu'elle avait cousu dans la doublure de mon blouson. À quinze ans, je partais sans espoir de retour. Je ne regrettais cependant pas de déserter ma patrie. Le vaste monde s'ouvrait devant moi, je serais en avance sur les natifs du Quartier latin, je laisserais loin derrière moi les forts en thème, j'acquerrais une aisance à résoudre les énigmes philosophiques, j'aurais un parcours hors ligne… Tout à mes supputations, je gommais le présent : ma mère n'avait plus un sou, elle avait raclé les fonds de tiroir pour obtenir mon visa, la réduction des effectifs au consulat aurait probablement pour effet son renvoi, elle n'était plus assez véloce pour rouler à bicyclette, sa santé pâtissait des carences alimentaires, elle déclinait, sa vue baissait, personne ne pouvait la secourir, même le frère de mon père, qui nous apportait des provisions au Nouvel An, avait cessé ses visites, elle ne devait qu'à son statut de veuve d'un cadre du Parti de ne pas être, comme ses voisins, délogée de sa maison, dont le toit, pendant la mousson, laissait s'infiltrer la pluie. À quarante-deux ans, elle se retrouvait sans aucun appui, parmi les dénonciateurs et les commissaires de quartier qui recensaient les déviationnistes. Mais que pouvais-je pour elle ? Allais-je tourner bride et lui dire que je restais à ses côtés ? Après toutes les démarches qu'elle avait entreprises afin que je puisse sortir du pays ? Et puis, je comptais bien, une fois adulte, la faire venir en France. À mon tour de l'entretenir. J'ignorais que le destin allait en décider autrement, que notre séparation était définitive.

Lou

Je n'ai pas dormi. Aujourd'hui, nous sommes samedi, je peux paresser au lit, jusqu'à midi même, si je me sens faiblarde. J'ai soulevé un coin des rideaux. Il fait un temps à ne pas mettre un chien dehors, le vent souffle en rafales, des trombes d'eau se déversent du ciel, comme le jour de l'enterrement de Van. Avec Laure, j'avais combiné le plan d'une virée à Fontainebleau, ce n'est que partie remise. De toute façon, je ne suis pas d'humeur à escalader des rochers et à m'étaler sur l'herbe. J'ai la joue enflée à cause d'un abcès. Je prends du Nurofen depuis deux jours, mais cela n'a pas dégonflé. J'ai passé ma tête sous le jet du robinet de la salle de bains, puis je me suis de nouveau glissée sous la couette.

Je n'ai rien changé dans la chambre, le secrétaire de Van est toujours là, avec le vide-poches, les piles de bouquins, le sous-main, l'ordinateur, les clés USB, le Robert, le Littré, le Gradus, les cahiers à spirale, l'agenda, l'étui à lunettes, les stylos rouges et bleus, les crayons en pagaille, le papier à lettres, les hebdos non lus, la cartouche de Camel, le cendrier marocain, le Zippo, la photo de Tchekhov épinglée sur l'abat-jour de la lampe art déco... Quel fouillis ! Je devrais tout mettre à la cave pour ne plus avoir sous les yeux ce fourbi qui est comme un reproche. Mais non, je laisse les choses en l'état. Même le placard, je ne l'ai pas débarrassé des vêtements de Van. Chaque fois que je l'ouvre, ses pulls tombent par terre, sur les cintres ses vestes pendent au milieu de mes robes. Et ses boots au vernis craquelé, il faudrait les jeter. Laure m'a dit de ne pas y toucher. Elle collectionne les objets qui ont appartenu à Van. Hier, elle a endossé une des chemises à carreaux de son père, fumé des Camel qu'il avait rangées dans un porte-cigarettes, ressorti des polaroïds où on le voit à la plage de Cabourg, assis entre Hugues et Rachid, pour les encadrer et les poser sur son synthétiseur. Au dîner, elle n'a pas fini son assiette, elle m'a regardée dans le blanc des yeux et elle a zézayé en pleurant : « Ze veux mon papa ! » Elle qui l'appelait toujours *Van*, jamais *papa*, voilà qu'elle fait l'enfant et me culpabilise, comme si je n'étais pas déjà tenaillée par le remords. Le suis-je vraiment ? Van m'aurait-il tout confessé que la tragédie n'aurait peut-être pas eu lieu. Sans l'innocenter, je n'aurais pas été à ce point hors de moi en décelant sa dissimulation. Toutes ces années, j'étais convaincue que nous finirions nos jours ensemble, c'était pour moi un point acquis, quoique, quelquefois, nos incompatibilités d'opinions aient été telles que j'avais failli rompre. Je n'ai pas connu d'autres hommes que lui. Il y avait bien eu, surtout les premiers temps du mariage, des types qui me branchaient, mais cela n'allait pas très loin, je les renvoyais chez leur mère ou chez leur femme. Ils ne manquaient pas d'air, ces coureurs de jupon !

Ils avaient une alliance au doigt, mais ils me bara-
tinaient. Ils étaient du style à baratiner même des
cageots. Je m'en amusais parfois, mais le plus souvent je leur disais d'aller se faire cuire un œuf. Je
n'étais pas assez vaine pour tendre l'oreille quand on
me chatouillait l'amour-propre. Je n'étais pas non
plus assez tarte pour me laisser prendre à l'appât.

En toute honnêteté, je dois convenir que je n'ai
pas été parfaite. Si je n'ai jamais fait des infidélités
à Van, au-dedans de moi, j'ai eu pendant de longs
mois un penchant pour quelqu'un. Laure n'avait que
neuf mois, j'étais encore institutrice. Ce quelqu'un
était le nouveau directeur de mon établissement.
Autant son devancier, un courtaud à la face de lune,
avait du liant et une fière tapette, autant lui paraissait un peu ours. Brun au visage boucané, il roulait
à moto et arborait un caban qui le faisait ressembler
à un matelot. Il s'appelait Ludovic Briand, mais tout
le monde le surnommait la « statue du Comman-
deur ». Son air grave inspirait le respect. Quand il
me fixait, je ne savais où me fourrer, tant il m'en
imposait. Selon la rumeur, il avait fait des études
de théologie, mais une cover-girl, qui posait pour
des magazines cheap, l'aurait détourné de sa foi. Si
c'était vrai, il en avait gardé des manières de sémi-
nariste, à l'aspect austère. Chaque fois qu'il y avait
une réunion dans son bureau, j'y allais avec une
boule dans la gorge, j'avais peur d'être mal jugée.
J'étais bien notée par l'Académie, je n'avais donc
pas à me faire des cheveux. Et pourtant, face à lui,
je me faisais l'effet d'être une recrue toute fraîche,
sans expérience et pataude. Quand j'énonçais des
suggestions pour dépoussiérer cette vieille institu-

tion qu'est l'Éducation nationale, je n'y allais pas mollement. Les plus âgés étaient choqués par mes vues pédagogiques, axées sur les activités d'éveil, par mes discours sur la nécessité de rajeunir le corps enseignant, de ne pas punir les affreux jojos. Il y a des fessées qui se perdent, me répliquaient-ils. J'étais alors dans une école où les gamins faisaient du chambard et étaient incorrects avec moi, mais je savais les prendre, et je les tenais bien. Même les têtes à claques qui, les premiers mois, n'en avaient rien à battre, des dictées et de l'algèbre, je les intéressais peu à peu aux inventions de Gutenberg, par exemple, ou je leur apprenais à conjuguer les verbes irréguliers, sans manier la carotte et le bâton, mais en faisant la classe avec une pêche du tonnerre, qui se communiquait même aux endormis. Les terreurs de la cour de récré remballaient leurs gros mots, les chipies ne ripostaient plus du tac au tac, les élèves les plus appliqués ne passaient plus pour des moules qui se faisaient bien voir.

C'était depuis la nomination de Ludovic, si consciencieux, que je m'étais mise à rivaliser d'entrain avec mes collègues. Une flamme m'habitait, mon métier était un apostolat. Je voulais prouver à cet homme que j'avais de la ressource, une certaine élévation d'esprit, que j'étais au-dessus du lot, dotée d'une puissante personnalité. Une année durant, il avait été pour moi une obsession. Je veillais à avoir une belle apparence, sans coquetterie ostensible, je choisissais de préférence des robes de couleurs automnales, je ne portais ni des jupes trop courtes, ni des dos nus à l'approche de l'été. Au cours des assemblées, quand Ludovic m'accordait la parole, je laïus-

sais, je formulais des critiques du système scolaire,
je m'évertuais à établir qu'il désavantageait les attar-
dés, nés dans les couches populaires, par rapport aux
gamins dont les parents étaient assez aisés pour leur
offrir des cours à domicile. J'enfonçais une porte
ouverte, mais je tenais à me montrer sensible aux
inégalités, car j'avais entendu dire que Ludovic, fils
d'un OS qui était un sac à vin et d'une femme de
ménage qui savait à peine lire, aurait été mis hors
concours s'il ne s'était accroché avec la ténacité d'un
marathonien lancé dans une compétition olympique.
Il avait grignoté ses condisciples en étant deux fois
plus instruit qu'eux, mais il avait dû se heurter à des
oppositions, surmonter des obstacles, vivre modes-
tement de pensions, ne pas se chauffer l'hiver et ne
jamais partir en vacances. Cela le haussait dans mon
estime. Posait-il ses yeux sur moi, je devenais écar-
late, et mes pommettes ne dérougissaient pas tant
que je ne tournais pas les talons.

Il s'était aperçu que j'étais dans un drôle d'état en
sa présence, mais il faisait comme si de rien n'était
et restait distant. Jusqu'à ce mercredi de printemps
où j'étais allée nager à la piscine. La tête couverte
d'un bonnet, j'avais crawlé pendant une heure avant
de m'arrêter. Toute dégoulinante, je grimpais la
petite échelle pour m'asseoir sur le bord du bassin
sans prêter attention aux autres habitués du lieu.
J'enlevais mon bonnet et secouais mes cheveux quand
un nageur jaillit à la surface de l'eau : c'était Ludovic. Il me dit bonjour d'une voix à peine audible,
mais pour la première fois, il m'appelait par mon
prénom. Étrangement, alors que je n'avais sur moi
qu'un deux-pièces, je n'étais pas, comme à l'ordinaire,

gênée devant lui. Je lui tendis la main. Au lieu de la serrer, il l'agrippa pour, d'un seul mouvement, sortir du bassin et prendre place près de moi. Il avait un corps musclé, une peau brunie. D'être tous deux presque nus rendait les formalités superfétatoires. Lui et moi étions passés du vouvoiement au tutoiement en bavardant comme de vieux amis. En nous quittant, nous nous étions promis de nous faire signe chaque mercredi pour aller à la piscine ensemble. Après cela, j'étais si plongée dans mes rêveries que je pris la première rame de métro, qui me mit dans la direction opposée à mon appartement. Ludovic m'avait proposé de me raccompagner à moto, mais monter derrière lui, presser ma poitrine contre son dos, m'aurait beaucoup trop secouée. Ce soir-là, Van me fit remarquer que j'avais l'air d'un pêcheur de lune, je n'entendais pas ce qu'il me disait, j'avais laissé brûler l'omelette, cassé un verre, mis du sel dans mon thé, du talc au lieu du savon moussant dans le bain de ma fille…

Tous les mercredis donc, je retrouvais Ludovic en dehors de l'école. Van ne se doutait de rien, il était alors charrette et consacrait tout son temps libre à Laure. Je n'avais pas mauvaise conscience, je me répétais que j'avais le droit de voir qui je voulais. Ludovic ne me faisait pas la cour, je n'étais pas une femelle en chasse. Il ne me questionnait pas sur Van, je ne lui demandais pas s'il avait une amoureuse. Il me racontait son adolescence rouennaise, centrée sur l'apprentissage des dogmes de l'Église, gâchée par un père toujours entre deux vins, mais aussi un voyage en auto-stop qu'il avait fait à dix-huit ans. Il était allé dans des bleds désolés, sur des côtes désertiques. Plus tard, il avait séjourné chez les trappistes, avant de laisser tomber la théologie. Il ne me dit pas pourquoi. Je me gardai bien de lui rapporter les ragots sur la cover-girl qui lui en aurait fait baver.

Au fil des jours, mon penchant pour lui ne faisait que croître. Je me sentais comme une lycéenne qui avait le cœur en fête, tant la fusion avec un étranger, quand il cessait de l'être en devenant plus accessible, la jetait dans une sorte de ravissement. Pendant toute cette période, j'avais la tête dans les étoiles, mais je ne me désintéressais ni de Laure, ni de mon travail. Je cloisonnais ma vie, d'une part, les soirées et les week-ends avec Van et Laure, où je tâchais de ne pas me couper en parlant de l'école, d'autre part, les mercredis après-midi avec Ludovic, où j'avais de moins en moins un air engoncé, encore que mes rougeurs révèlent à quel point je me contraignais et masquais sous une fausse camaraderie mon attirance pour lui, si peu platonique.

Van ne se rendait pas tout à fait compte qu'il se passait quelque chose d'anormal. J'étais folâtre en rentrant de la piscine, je souriais niaisement, je papotais, je mettais des disques de salsa et je dansais avec Laure dans mes bras. Lorsque Ludovic ne venait pas à cause d'un contretemps, je faisais un long nez et on ne pouvait rien tirer de moi. J'égarais les soupçons de Van en prétextant la classique migraine pour me dérober quand il avait envie d'une sieste crapuleuse. Ce n'était pas très fute-fute, je le reconnais, parce qu'il ne s'aveuglait pas sur les fluctuations dans lesquelles j'oscillais. Plus je faisais diversion, moins il était feinté, il me laissait échafauder des alibis qui ne l'induisaient pas en erreur. Il prenait acte du refroidissement dans nos rapports conjugaux pour mieux serrer de près celles qui jouaient de la prunelle. Chacun avait ainsi son jardin secret, tout en s'imaginant que celui de l'autre était de la foutaise.

J'avais franchi une étape dans mes relations avec Ludovic, qui ne se limitaient plus aux causeries au bord de la piscine. Nous allions au bistrot où, devant un café, nous nous familiarisions l'un avec l'autre, lui ne faisant plus montre d'une politesse formelle qui me glaçait, moi toujours anxieuse de mieux le déchiffrer. Nous baguenaudions par les allées des Buttes-Chaumont, nous nous promenions à moto. Assise à l'arrière, je me pressais contre lui, le cœur battant. Il me pilotait à travers les rues du Marais, me conduisait hors de Paris pour humer l'air des forêts... Il m'infusait un sang nouveau, rien qu'en étant amical. C'était si merveilleux que je ne prévoyais pas la fin de ces interludes. Je fus prise de court et en restai coite quand il m'annonça de but en blanc qu'il avait obtenu sa mutation dans un endroit paumé, quelque part du côté des Cévennes. Il voulait redevenir instituteur et mener une vie humble, loin des paillettes. Il avait déjà fixé son choix sur une masure qu'il allait remettre en état, il partagerait son temps entre le bricolage et la lecture de Montaigne, il se confinerait dans une retraite d'où il ne sortirait que pour faire des excursions en solitaire, les jours où il n'y aurait pas classe. Dans le grouillement des foules parisiennes, ses énergies s'atomisaient. Il en avait assez des citadins inodores, les fermiers, les bergers, les campagnards en communion avec la nature avaient plus pour lui un « parfum d'authenticité ». J'étais tellement abasourdie que cette philosophie verte ne me paraissait pas rococo, à moi qui, avec les ans, en étais venue à aimer le bitume et les métropoles modernes.

Sa résolution était prise, je ne pouvais m'entremettre dans ses affaires en objectant que, sans nos mercredis, je serais très malheureuse, que j'avais pour lui plus que de l'amitié, que j'étais transformée depuis que je le côtoyais. Il aurait trouvé cela aussi sot que grenu. Donc je ravalais mes épanchements et affectais de n'éprouver aucune déception. Je lui disais que c'était formidable, ce changement de cadre, ce retour aux sources, j'alignais encore quelques idioties de la même farine. Il opinait du chef, mais semblait déjà à mille lieues de là, transporté hors de la sphère terrestre.

L'année scolaire s'achevait, il avait revendu sa moto, rendu son appartement, fait ses bagages, rempli ses dernières fonctions, passé le flambeau à son successeur. Il repartait sur de nouvelles bases, tournait le dos à la civilisation, se désaccoutumait des besoins artificiels, me laissait en rade, comme toutes les superfluités dont il allait apprendre à se passer en vivant en homme des bois.

Ce soir-là, Van ne manqua pas de constater que je n'étais pas très en forme, alors que le mercredi, j'avais presque toujours de l'éclat, je mettais de l'ambiance, sans dévoiler les raisons de mon enjouement, mais en faisant tout pour préserver ma double vie. Or, ce mercredi, j'étais plus que maussade, Ludovic m'avait dit qu'il m'écrirait sitôt qu'il aurait pris ses marques, mais mon instinct me soufflait qu'il n'en ferait rien, il devait tout changer, et j'incarnais les vieilles lunes. Le souvenir qu'il avait de moi pâlirait très vite, en trois mois il se serait désentravé, plus aucune contrainte sociale de son existence d'avant ne gênerait sa quête de la pierre philosophale, capable de transmuer le quotidien en perpétuelles retrouvailles avec les espaces infinis. Il s'élèverait en étant tout à la contemplation des paysages montagneux. Je n'aurais été qu'une bonne amie. Il ne s'était pas joué de moi en faisant l'empressé. C'était moi qui me faisais tout un film. Et voilà que cela finissait en queue de poisson. Je n'avais pas véritablement la mort dans l'âme, mais j'étais comme assommée, et il me fallut des semaines avant de refaire surface.

Van avait pour moi toutes les délicatesses, son intuition l'avertissait que je lui étais revenue. Il m'avait tacitement concédé l'autorisation de m'enflammer pour quelqu'un d'autre, puisque lui-même n'était pas tout loyauté. Mes histoires de cœur, c'était à ses yeux un prêté pour un rendu, donc il n'en faisait pas tout un plat. Je ne piétinais pas les convenances, il n'était pas un pervers polymorphe, malgré son tempérament chaud. Il ne m'avait pas harcelée pour mettre un nom sur l'intrus, il n'avait pas réédité chaque jour des scènes pour que je lui revienne en m'en voulant d'être volage, même si ce n'était pas là l'adjectif adéquat, puisque, avant Ludovic, je ne m'étais « enamourée » de personne d'autre que Van. La parenthèse se refermait, sans que l'un d'entre nous ait évoqué mes échappées du mercredi, où je donnais carrière à mon bovarysme, comme il aurait dit, en caricaturant mon avidité de ressentir de nouveaux émois.

Tout cela est bien loin maintenant. Ludovic ne

m'avait jamais envoyé le moindre mot. Quant à Van, il notait sur ses tablettes que j'avais failli à mes devoirs, pour invoquer ce précédent quand il batifolait. Lui et moi avions conclu une espèce de pacte : je le laissais à ses badinages, il excusait mon incartade. Chacun avait un petit quelque chose d'inavouable qu'il prenait soin de ne pas divulguer, mais nous faisions trêve à nos imputations, nous nous abstenions de tout interrogatoire, de tout flicage. Lorsque Van me donnait des crispations, parce qu'il matait des blondes, il en était quitte pour une bouderie.

À présent que Van est mort, que maître Dieuleveult me certifie que cela se tassera, quand bien même le juge entamerait des poursuites contre moi, je voudrais être comme un de ces malades d'Alzheimer dont le cerveau est vidé et qui ne trouvent pas les mots. Quelle bénédiction ce serait de retourner au stade infantile et de n'être plus en prise sur la réalité ! Tout effacer, à la manière d'un informaticien qui, d'un seul clic, supprimerait un fichier vérolé. Tout recommencer, à la manière d'un photographe qui remplacerait son vieux rouleau par une pellicule vierge. Tout voir en rose et être une bécassine qui n'a rien fait de mal.

La pluie diluvienne qui tombe sur Paris n'a pas cessé. L'air froid pénètre dans ma chambre, où il fait très sombre. Mais je n'ai pas allumé la lampe de chevet. Allongée sur le dos, la couette relevée jusqu'au menton, je mâchouille des bonbons à l'anis en écoutant à la radio un humoriste poussif. Je tourne le bouton de l'appareil. Sur les autres stations, c'est un flux de musiquette, entrecoupé de pubs racoleuses. Vingt jours déjà que Van a été

mis en bière, drôle d'expression pour une cérémonie sans façon. Un mois qu'il a été fauché par mon
Austin. Un mois que Laure lance chaque soir des
SOS à son copain Tommy, quand elle ne vient
pas en pleurs dans mon lit. Elle dit que le matin
de l'enterrement, elle n'aurait pas dû lire Reverdy,
mais déposer dans la tombe des pivoines, les fleurs
préférées de Van, elle aurait dû mieux se fringuer,
porter du blanc en signe de deuil, comme les Asia-
tiques. Elle me demande si je crois en la transmigra-
tion, si l'âme de Van va passer dans le corps d'un
Bantou. D'autres fois, elle cauchemarde et m'assure
que le spectre de son père rôde la nuit près d'elle,
il ne reposera pas en paix tant que je ne le discul-
perai pas. C'est toujours la même sérénade : Lou,
qu'as-tu fait de Van ? Oui, qu'ai-je fait ? Je paierais
cher pour ne pas expier mon amok.

Laure

J'ai dormi une heure. Le bip du portable m'a réveillée. C'était Tommy qui m'envoyait un SMS : « Ça va, fripounette ? » D'où est-ce qu'il sort des diminutifs pareils ? Il se frappe parce que hier après-midi j'ai zappé notre rancard. J'étais flagada, je m'étais couchée et j'avais pioncé comme un loir. Quand j'ai ouvert un œil, il faisait presque nuit. J'avais des frissons, la bouche pâteuse, des courbatures partout, comme si je couvais une grippe. Je suis allée dans la cuisine, je me suis préparé un grog et je me suis remise au lit pour lire un manga. Lou n'était pas encore rentrée, elle devait consulter son avocat sur des points de détail. Il a un nom qui promet : Dieuleveult. Avec ça, s'il n'impose pas sa volonté et ne sauve pas Lou, ce serait le monde à l'envers.

Je n'ai rien compris au manga, j'avais un terrible coup de barre et des picotements dans le larynx quand je déglutissais. Le grog ne m'a pas réchauffée, j'ai empilé deux édredons l'un par-dessus l'autre, mais je caillais. Alors, je me suis relevée, j'ai pris un bain bouillant, sans être moins ramollo après. J'ai troqué mon twin-set contre une chemise à carreaux de Van et un survêt. Je flottais un peu dans la chemise, qui était déjà trop large pour Van, plus carré d'épaules que moi. Porter à même la peau ses vieilles frusques, c'était être près de lui. Il rirait bien s'il me voyait.

Je n'ai jamais été une bonne petite fille, qui se calquait sur son père, trouvait géant tout ce qu'il faisait. Je l'avais rangé parmi les anciens combattants, il ressassait toujours des épisodes épiques du temps où il vivait encore à Saïgon, où il était le témoin d'une guerre fratricide. J'avais une indigestion de ces chroniques, mais je ne lui disais pas de changer de disque, ça aurait été fort de café. Même si je suis une tête de lard, je ne me comportais pas avec lui comme une mal élevée, je n'appelais pas mes parents mes vioques. Je fumais de temps en temps du hasch, je restais parfois scotchée devant la téloche, à l'heure des séries, je passais à l'as mes révisions d'allemand, je pompais les corrigés du Net, au lieu de lire *La Chartreuse de Parme*, je téléchargeais des hits, je surfais sur le web pour savoir ce qui se passait dans la blogosphère. J'étais souvent pendue au téléphone, à tchatcher avec Tommy, alors que j'avais des exos en retard. Au moins je ne suis pas nulle en orthographe, mais j'abuse du franglais, ça insupportait Van. Quand il était un peu bourré, il disait qu'en tant que « champion de la préservation de la langue française », il était un extraterrestre. Il me farcissait la cervelle de mots déments, improononçables ou totalement has been. Je m'en servais n'importe comment. Tommy répétait : « Késako ? Késako ? Comment que tu causes ! » J'ai vite évité de parler comme un livre, surtout que je me mélangeais les crayons, je confondais « scatologie » et « eschatologie ». Pour Tommy, c'était kif-kif, il ne faisait pas la différence. Van, lui, s'arrachait les cheveux chaque fois que j'employais un mot pour un autre. Je ne suis pas d'une ignorance crasse. Sur mon ordi, j'ai enregistré des tas de tournures idiomatiques, de sonnets de Shakespeare, sans compter tout un vocabulaire si périmé qu'il vaut mieux ne pas l'utiliser. Van m'avait suggéré de tenir un journal pour avoir un style chiadé et m'entraîner à réfléchir sur moi-même. Jusqu'à cette nuit, je n'avais jamais touché au calepin qu'il m'avait acheté. Avant de laisser courir mon feutre sur le papier, j'ai intercalé entre les feuillets des articles que Van m'avait découpés. C'est des billets humoristiques, des éditoriaux pas du tout consensuels, des interviews de mal-pensants, des portraits de poils à gratter. Je les avais mis de côté sans même les parcourir. Je n'y ai jeté un coup d'œil qu'après l'enterrement de Van. Il essayait de me donner des infos, parce que je ne pigeais rien aux actus. J'avais toujours l'air de débarquer quand il me renseignait sur les élections, les fachos déguisés en républicains, les retombées de la mondialisation, ou quand il remontait loin en arrière, vers les années où Badinter faisait voter l'abolition de la peine de mort.

Les derniers mois, il avait toujours sur lui les lettres de Rosa Luxemburg. Il paraît que, dans sa prison de Breslau, elle observait les alouettes et les étourneaux. Elle lisait des ouvrages sur la migration des oiseaux et demandait à la compagne de Karl Liebknecht d'aller au Jardin botanique chercher une explication au retour prématuré des rossignols et des merles qui sifflaient dès les premières heures de la matinée. Van avait gardé une sympathie pour tous les cerveaux brûlés en lutte contre la réaction. Il était à la fois un Dr Jekyll, un père peinard, un peu nostalgique, et un Mr Hyde bileux, qui aurait été futuriste si Marinetti n'avait pas tourné musso-linien, qui aurait peut-être adhéré à la LCR s'il ne s'était pas méfié du « messianisme ». Il disait que les soi-disant bienfaiteurs du peuple ont perverti les révolutions. D'Est en Ouest, il n'y a eu que des désillusions, les porte-voix d'une insoumission aux idéologies régnantes ont été bâillonnés, les idéa-listes éliminés. Je transcris texto les dires de Van. Sur le moment, je ne captais pas la moitié de tout ça, mais c'est resté gravé dans ma petite tête. Par-fois, en cours, je reprenais ses idées pour épater mes profs. Mais à la maison, je faisais la sourde, ou celle qui était trop dure à la détente pour tout assimiler.

Van n'était pas un moulin à paroles. Mais quand on l'entreprenait sur les cercles politiques, il s'empor-tait. C'était d'après lui la mare aux grenouilles. Les débats qu'il avait avec Hugues et Rachid étaient folklo, ils n'avaient jamais le même point de vue sur les ténors de la gauche. L'un avait été mitterrandien, le deuxième était de plus en plus anticapitaliste, le troisième, Van, était a priori toujours contre. Cha-cun y allait de son coup de gueule, ils s'insultaient copieusement, puis se réconciliaient autour d'un verre. Et quelques jours après, rebelote ! Ils se pres-saient le citron, mais il n'en sortait rien, juste des empoignades à n'en plus finir. Lou et moi on comp-tait les points. Elle n'intervenait que pour remettre les pendules à l'heure quand ils partaient dans des considérations de vieux de la vieille pour qui tout fout le camp. Alors, ils faisaient bloc contre elle : elle ne comprenait rien à rien, eux avaient une vision juste du déclin de l'Europe. Ils étaient comme des bouledogues face à elle mais, même attaquée de tous les côtés, elle ne se laissait pas faire. Elle les traitait de « Saint-Just à la noix », quand elle était à court d'arguments, elle leur coupait le sifflet d'un retentissant « Blaireaux ! », elle fichait Hugues et Rachid dehors pour ne plus avoir à polémiquer, et pendant une semaine, elle faisait sa trombine des mauvais jours. Moi, j'étais partagée, je grappillais des rudiments de la politique, je glanais des noms de VIP, « Vaniteux Immensément Puérils », disait Van en reprenant l'expression de je ne sais qui, mais souvent, j'en avais plein les bottes de ces prises de tête.

Hugues et Rachid ne viennent plus que rarement chez nous. Terminées les soirées mouvementées. Au crépuscule, Lou et moi on n'est que toutes les deux, elle me sert des gnocchis ou des légumes chop suey. J'ai une tête de croquemort, elle a peur de finir en prison. L'appartement est aussi silencieux qu'une tombe. La voix de Van n'y résonne plus. Son rire ne nous met plus en gaieté.

Comment Ulma va-t-elle faire son travail de deuil ? En allant au cimetière de Bobigny ? À l'église pour brûler un cierge, comme le faisait Van, parce que, sans être religieux, il remerciait les saints protecteurs de leur avoir permis de se rencontrer ? Au *Old Navy*, son QG, à lui et à Hugues, quand ils étaient rive gauche ? À la *Filmothèque du Quartier latin* lorsqu'il y a une de ces reprises qu'il attendait impatiemment ? À la librairie *L'Harmattan* pour fouiner et en rapporter des traductions qu'il aurait lues vite, vite ? À

Douarnenez où, d'après M. Grimaldi, elle et Van avaient été admirer la statue commémorative dédiée à Max Jacob ? En dînant chaque soir au restaurant coréen de la rue des Ciseaux qu'ils fréquentaient souvent, toujours selon le détective ? En punaisant sur un tableau des photos d'eux ? En relisant les mails et les lettres de Van ? En achetant les livres qu'il lui avait recommandés ? Ou ceux qu'il avait corrigés ? En disposant autour d'elle les menus objets, un briquet, un cache-nez, des gants, des paquets de clopes, un carnet d'adresses, qu'il avait laissés chez elle ? Ou, au contraire, en faisant disparaître tout ce qui lui rappelait Van ? En jetant les revues qu'il lui avait offertes ? Les CD de Sibelius qu'il écoutait ces derniers temps ? Les fichiers sur Soutine, son dieu, qu'il lui avait transférés ? En courant d'Ostende à Budapest, du lac de Côme à Istanbul, pour s'éloigner des lieux trop chargés de souvenirs ? En avalant des calmants ? Puis des tonifiants pour voir clair dans la bouteille à l'encre, je veux dire l'accident et le sac d'embrouilles qui a suivi ? En faisant une cure de sommeil pour tout oublier ? En cherchant dans les romans un moyen de se fuir ?

Je ne peux pas penser à elle sans prendre part à ses peines. Je ne peux pas penser à Lou sans me faire du mouron pour elle, qui ira peut-être en prison. Je ne peux pas penser à Van sans être en larmes, alors, pour ne pas ruminer ma tristesse, je polis mes phrases, comme s'il lisait par-dessus mon épaule. Je suçote mon feutre, je cogite jusqu'à ce que je découvre des mots qui ne me viennent pas spontanément. Van n'était pas à côté de la plaque quand il m'incitait à faire travailler ma matière grise et à noter mes impressions. Il a fallu un drame pour que je me décide à ouvrir ce cahier. Je dois me focaliser sur les faits qui se sont déroulés, rester objective, ne pas départager Lou et Ulma. Ce n'est pas du nanan, je suis neuve dans l'exercice qui consiste à me mettre l'esprit à la torture. Van me trouvait trop peu posée. Souvent, je m'agite comme une puce, je forme des plans foireux, je n'ai pas un gramme de persévérance, à part dans les moments où je fais de la photo. J'ai un vieux Polaroïd et un reflex numérique. J'ai photographié la rue des Vertus, le passage du Désir, des galeries marchandes à l'heure de fermeture, des impasses avec des dépôts d'ordures, des camions-bennes, des façades lépreuses, des cours à l'abandon, des immeubles en démolition, des rideaux de fer tagués, des grues sur des chantiers, des panneaux de signalisation, des cabines téléphoniques vandalisées, des carrefours sans un chat, des arbres nus…

Van m'encourageait à faire toujours plus de photos en noir et blanc. Il disait que j'étais douée, que j'avais l'œil d'un peintre néoréaliste. Avec mon appareil en bandoulière, je vais dans des quartiers lointains pour cadrer des images qui donnent à voir les verrues de la ville, les bâtiments inesthétiques, les chaussées défoncées par des marteaux-piqueurs, les banlieues avec de grands ensembles qui poussent comme des furonculoses. Je ne sais pas d'où vient ce tropisme qui me porte vers des choses pas du tout belles. Je n'ai jamais photographié les paysages de carte postale, les panoramas en technicolor. Quand j'allais à la campagne avec Lou et Van, mon Nikon était resté au fond de mon sac. Je préfère le macadam, les avenues rectilignes, les enseignes clignotantes, les parcs avec des pelouses mal entretenues, les tours de verre, les parkings souterrains, les bolides fonçant sur le périphérique, les stations-service, comme dans les peintures d'Edward Hopper. Van aussi était parisien dans l'âme. Les prés, les coteaux, les gîtes ruraux, ce n'était pas son truc. Il allait en Provence pour s'oxygéner, mais il se faisait suer, et de toute façon il clopait tellement que ça annulait l'effet bienfaisant du peu d'air pur qu'il inhalait. Pendant que Lou joggait, il traînait au lit, pendant qu'elle faisait de la gym, il buvait du rosé, pendant qu'elle roulait à bicyclette sur les routes de campagne, il s'enfermait dans le noir pour se projeter les films d'animation de Svankmajer. Il ne se couchait parfois qu'à l'aube, au moment où elle se levait. Il mangeait à n'importe quelle heure, plutôt de la cochonnaille et des plats en sauce, elle déjeunait toujours à midi et demi tapant, de légumes à la vapeur, et le soir dînait léger. Leurs horaires n'étaient pas synchro, ils n'avaient pas les mêmes centres d'intérêt. Lou était friande de ce dont on parle, Van trouvait que les deux tiers des productions contemporaines étaient à gerber. Elle lui disait qu'il était pédant et hors du coup, il lui répondait qu'elle se faisait avoir par des littérateurs dans le vent. Chacun avait des griefs contre l'autre, bien avant qu'Ulma n'entre en scène.

J'ai tapé un SMS pour Tommy : « Suis HS. Envie de rien. Juste d'en écraser. Mais impossible de dormir. Je te sonne cet aprèm si je suis moins flapie. » Une bonne chose de faite. Tommy est le frère que je n'ai pas eu. J'aurais voulu ne pas être enfant unique, grandir dans une famille nombreuse, avoir des frères et sœurs joueurs, qui auraient organisé des boums, comploté des sorties à plusieurs, des tournées des fast-foods. Moi je me retrouve souvent sans personne, à me goinfrer de hamburgers. S'il n'y avait pas Tommy, j'aurais été bien seule. Avec sa crête, son anneau à l'oreille gauche, son bracelet à clous, ses baggys déchirés et ses T-shirts flashy, il a un look d'enfer. J'aurais pu avoir des copines, mais les filles de ma classe sont trop cloches. Ou elles fayotent à mort, ou elles sont des limaces, fans de pop gentillette. Entre celles qui sont très hype et celles qui s'habillent chez Tati, entre celles qui ont des allures de garçon et celles qui portent déjà des escarpins à talons aiguilles, entre celles qui lèvent tout le temps la main dès que les profs nous interrogent, et celles qui se font étendre au brevet blanc, entre celles qui sont dans le peloton de queue et celles qui sont désignées pour passer le Concours général, j'en ai connu de toutes sortes. Mais je n'encaissais aucune de ces poupées Barbie, affublées de robes à col Claudine, débiles et neuneus. Quand j'étais petite, j'invitais de temps à autre l'une d'elles à la maison, c'était toujours raté. Ma chambre n'était pas assez jolie pour elles, mon coffre aux trésors leur paraissait trop riquiqui, mon doudou trop cradingue, mes trois singes en terre cuite trop répugnants, elles tordaient le nez devant mes posters, ma rangée de cactus, mon bocal à poissons rouges. Mes jeux ne leur plaisaient pas. Lorsqu'elles me battaient au Scrabble, elles prenaient des airs supérieurs, lorsqu'elles recevaient une pile aux dames, elles étaient mauvaises perdantes, elles demandaient à rentrer. Elles ne goûtaient pas aux nems que

Lou avait dorés à la poêle et réclamaient des nuggets. Elles disaient que leur maman était un cordon-bleu, leur papa un Superman. J'en ai vite eu marre, je ne les ai plus invitées.

Lou trouvait dommage que je n'aie pas de copines, que je n'aille pas aux fêtes d'anniversaire. Jusqu'en CM2, je ne me laissais pas apprivoiser, mais j'étais une bonne élève. Je n'ai commencé que plus tard à avoir des notes inférieures à la moyenne, sauf en français. Je ne pouvais pas piffer les fortiches, les chouchous des profs. Je me braquais dès qu'on me comparait avec des matheux, des délégués de classe qui réussissaient tout les doigts dans le nez. En cinquième, j'étais en bas du tableau, je ne savais pas mes leçons, en troisième, j'ai eu mon brevet, mais c'était tangent, en seconde, les heures de cours me paraissaient interminables, je n'avais qu'une hâte : être en vacances et passer le plus clair de mon temps à prendre des photos ou à podcaster de la techno.

J'ai tout appris dans les lyrics des musiciens subversifs. Van n'y voyait que des « sous-produits du nihilisme ». Je ne lui infligeais pas l'écoute de mes compils, mais j'aurais aimé qu'il soit plus ouvert, qu'il s'emballe pour ce qui me tenait à cœur. Je décortiquais bien les textes qui l'accrochaient et qui étaient souvent pleins de phrases entortillées. J'avais une méthode mnémotechnique pour loger dans un coin de mon cerveau certains termes. Le goût de Van pour les formules vieillies était contagieux. J'en assaisonnais mes copies, souvent des patchworks, avec des emprunts faits à droite, à gauche.

Je n'ai jamais autant écrit que depuis cette nuit. Je me fais la main avant de rédiger le devoir de lundi,

sur le thème de l'absence. Promis, juré, je donne-
rai mon maximum, je choisirai des verbes coup-
de-poing, je ne m'en tiendrai pas à la superficie
des choses, mais descendrai dans les sous-sols, pour
remettre des pages qui aient du jus. Je ne peux pas
traiter de la question de l'absence de façon abstraite,
après ce qui est arrivé. Van est mort, il s'est retiré
du jeu ou, plus exactement, Lou l'a écarté de notre
équipe. Il n'avait pas cinquante ans, et il revivait en
étant sur la même longueur d'onde qu'Ulma. Lou a
mis fin à tout cela. Prise de folie, elle a tout planté.

À la morgue, Van avait le visage d'un moine
céleste. Ses lèvres étaient violettes, son teint olivâtre,
mais il y avait de la noblesse dans sa figure. Il avait
l'air allégé des pesanteurs, comme un astronaute pro-
pulsé dans les espaces interstellaires. Il était mort sur
le coup et n'avait peut-être pas eu le temps d'iden-
tifier la conductrice de la voiture qui l'avait fauché.
Pourvu que, de l'au-delà, il ne jette pas un malé-
fice à Lou. Aucun exorciste ne pourrait le conju-
rer. Je vois des signes partout : le chiffre 13, les
chats noirs, le sel répandu, les couteaux et les four-
chettes en croix, tout est présage sinistre. J'évite de
passer sous les échelles, de poser un chapeau sur le
lit, d'ouvrir un parapluie dans ma chambre, je suis
certaine que les morts ont des comptes à régler
avec les vivants, que Van, flanqué de deux divini-
tés des enfers, viendra demander justice. Moi qui
étais hypersomniaque, j'ai de la peine maintenant
à faire même un petit somme. Quand j'avale du
Stilnox, mes nuits sont pleines de rêves horrifiants :
je m'enlise dans des sables mouvants, avec Lou je
prends un train qui déraille, mes profs, en blouse

salie, me trépanent, les filles de ma classe, en cours d'anatomie, me charcutent, mes photos se teintent de sang, je ne retrouve plus le chemin de l'appartement, je me perds dans les rues d'une ville qui ne figure sur aucune carte, je cherche Van, devenu un mutant, je joue des flûtes sans parvenir à semer les dobermans qui me coursent, j'attrape Van par le colback, mais il se transforme en torche vivante.

Lou me dit que je devrais faire du tai-chi, rien de tel qu'un peu de gymnastique, l'hygiène physique est bonne pour l'hygiène mentale. Il est vrai que je n'ai pas la frite. Je renvoie tout aux calendes grecques, je fais tout à une vitesse d'escargot. Je ne suis bien qu'au lit, à me connecter aux sites des musicos, à lire les blogs de bédéistes, ou à retoucher mes photos. J'en ai plusieurs de Van, vu de dos, vêtu d'un vieux cuir noir. Il a les cheveux coupés ras, une cigarette à la main. Il se tient droit comme un I. Lundi, quand je plancherai sur le sujet que mon prof de français a défini et qui m'inspire, je partirai de la description de ces photos pour dire l'absence. J'ai hésité à en expédier une à l'adresse d'Ulma, celle où il est à contre-jour, on ne distingue de lui qu'une masse sombre, on dirait qu'il était près de s'évaporer. Je n'ai pas osé nouer contact avec Ulma. Lou l'aurait mauvaise. Et puis Ulma ne comprendrait pas pourquoi je lui envoie ces polaroïds. Ils datent du temps où Van n'avait pas encore reçu sa lettre. Il n'y avait pas alors trop de frottements entre Lou et lui. À quoi bon la déranger ? Elle est déjà toute retournée. Pour ne pas être trop down, elle ne doit pas attacher un grand prix aux reliques.

Van avait laissé les choses dans un flou artistique.

Il idéalisait Ulma sans prendre Lou pour une imbécile, il embellissait ce que sa love story avec Ulma avait de moche et il restait dans le vague quand Lou plaidait le faux pour savoir le vrai. Il ne reconnaissait pas qu'il misait sur plusieurs tableaux. Il jouait à cache-cache avec lui-même et ne tranchait pas. Lou lui reprochait peut-être moins ses « vilenies », comme elle disait, que son caractère irrésolu. Il n'était pas très net, il avait deux poids deux mesures, surtout me concernant. Il n'était pas un modèle d'autodiscipline, mais il trouvait à redire à mon manque d'assiduité. Tout en étant souvent improductif, il me disait de ne pas rester inactive. Il souhaitait que je sois un bulldozer, alors qu'il était parfois mou du genou. J'ai comme lui une tendance à l'hibernation. À certaines périodes, il allait vite en besogne, à d'autres, il travaillotait avec irrégularité sans tenir compte du deadline. Il survolait les entrefilets des journaux, trouvait toujours quelque chose de plus urgent à faire, disait qu'il avait la tête comme une citrouille, une overdose de manuscrits, allait au cinoche pour décompresser, et ne retroussait ses manches qu'à la dernière minute, quand les éditeurs mettaient la pression. En prenant de la bouteille, il n'a plus été aussi efficace qu'avant. Lui qui corrigeait les épreuves en moins de deux, à la fin, il lui fallait des siècles pour venir à bout d'un bouquin de cent pages. Il ne faisait plus preuve de professionnalisme, Lou s'impliquait chaque jour davantage dans son boulot. Jusqu'à ce qu'Ulma change la distribution des cartes, il se détériorait. Non seulement il accusait son âge, mais il donnait l'impression d'en avoir ras la casquette, comme si tout l'indisposait, comme si sa vie n'avait rien de folichon. Il se pintait pour se remonter, sauf qu'il avait le vin triste, il touchait le fond, et aucun antidépresseur n'aurait pu le retaper. D'ailleurs, il n'allait jamais chez le toubib, encore moins chez l'acupuncteur, malgré l'insistance de Lou. Il prenait des excitants, mais sa machine avait toujours des défaillances.

Il n'y avait que le bibliobus qui le faisait se lever tôt. Il allait dans les banlieues avec ses propres livres pour les mettre entre les mains de sans-papiers en galère et les aider à acquérir des notions de français. Le seul lézard, c'est que les manuels qu'il sélectionnait n'étaient pas à la portée de ces illettrés, de toute manière si terrorisés par la police qu'ils ne se hasardaient presque jamais dehors quand ils n'y étaient pas obligés, ils avaient trop peur de s'exposer aux tracasseries et d'être expulsés. Van revenait tout accablé de ces expéditions, mais il disait qu'il « tenait absolument à doter d'armes ces gens démunis », pour qu'ils s'intègrent sans perdre leur identité, qu'ils fassent prévaloir leurs droits, qu'ils connaissent la procédure qui leur permettrait d'être régularisés, et qu'ils ne soient pas pressés comme des citrons par des charognards. Lou trouvait qu'il se battait les flancs, il aurait été plus utile d'être un militant encarté et d'exiger des réformes du Code de la nationalité. Il lui répondait : « Pas la peine, les politiciens en viendront tous à dire que la barque est pleine, qu'on ne peut pas accueillir tous les miséreux de la terre. »

Mon feutre est presque sec, j'ai une crampe à la main. Il est temps de m'extirper du lit. Ce samedi s'annonce mortel. Que faire avec cette pluie torrentielle et ce vent qui ne mollit pas ? Regarder des clips ? Compter les moutons jusqu'à ce que je m'endorme ? Prendre du ginseng qui donne un coup de fouet ? Feuilleter mes cours d'anglais ? Me payer un film d'horreur ? Explorer les catacombes de Paris avec Lou ? Téléphoner à Tommy, qui aurait peut-être un bon plan ? Mettre au net le brouillon de mes couplets ni faits ni à faire ? Lire la bio de Martin Luther King que Van m'avait dénichée ? Chercher de quand date la fin de l'apartheid pour ne pas sécher en histoire ? Chercher pourquoi l'Islande est appelée l'île du diable ? Pourquoi on disait « dévisser son billard » ? Et, sans transition, pourquoi Van, six mois avant l'accident, avait contracté une assurance-vie dont Lou est la bénéficiaire ? Elle ne le savait pas, autrement elle aurait été suspectée de l'avoir tué par intérêt, et ça aurait été bien sordide. Il avait touché un gros chèque en refondant les mémoires d'une chanteuse. Elle était enchantée de sa collaboration : il n'avait pas son pareil pour faire pleurer dans les chaumières. Il forçait la note, à la grande satisfaction de la vedette, lectrice de Barbara Cartland, qui s'était mariée cinq fois, et à l'âge de soixante-trois ans, venait de convoler en justes noces avec un jeunot. Van avait tout romancé, son enfance dans un bidonville de Nanterre, entre un beau-père brutal et une mère tubarde, son adolescence où elle s'était barrée de chez elle et poussait la chansonnette au coin des rues, avant de s'associer avec un accordéoniste qui lui flanquait une dégelée les soirs où leur duo ne faisait pas recette, ses premiers pas sur la scène d'un cabaret miteux, ses liaisons fracassantes grâce à quoi la presse à scandale l'avait lancée en lui consacrant ses couvertures. Ensuite, elle avait cassé la baraque. Ses chansons étaient à l'eau de rose, mais ses disques se vendaient comme les bûches à Noël. C'était la dernière commande que Van avait exécutée sans trop traîner les pieds. Il plagiait même des écrivains pour attribuer à la chanteuse leurs réflexions sur la rançon de la célébrité.

Il n'avait pas dit à Lou et à moi ce qu'il avait touché, ni qu'il avait souscrit une assurance-vie. C'était contraire à ses principes, qui étaient de ne pas céder aux sirènes du profit. Peut-être qu'il avait eu la prémonition de sa fin prochaine et qu'il voulait nous laisser quelque chose, d'autant plus que, les années précédentes, il avait largement puisé dans les réserves, jusqu'à ce que Lou mette bon ordre à tout ça. Maître Dieuleveult a été catégorique : elle n'a pas à flipper, les dispositions de Van ne constituent une charge contre elle. Moi, je suis plus pessimiste. Je croise les doigts pour que tout s'arrange, mais « de graves présomptions pèsent sur Lou », comme dirait un journaliste à la radio. Ce serait miracle si son avocat lui décrochait un non-lieu. Les apparences ne jouent pas en sa faveur. Qui croirait qu'elle avait foncé pied au plancher parce qu'elle se pressait pour ne pas louper Van ? Comment est-ce qu'elle dissimulerait qu'elle l'avait fait suivre ? Plus j'y pense, plus je vois tout en noir. Mes gribouillages ne m'aident pas à garder le moral. Stop ! Il faut que je me bouge. L'heure tourne. Je n'ai pas encore fait ma toilette. Je ne vais pas rester en pyjama et faire des ronds dans l'eau. Un caoua et hop ! Je serai sur les starting-blocks, prête à soulever des montagnes.

Ulma

Justine avait fait une moue réprobatrice lorsqu'à dix-neuf ans j'étais entrée comme assistante chez un créateur de mode. Pour elle, cela attestait ma futilité. Voyez-vous, docteur Sullivan, j'avais pris le premier emploi qui se présentait, car il me fallait gagner ma vie. Ma grand-mère était à l'hôpital, avec un cancer en phase terminale. Bien qu'elle ait été opérée deux fois, les métastases s'étaient disséminées, et les chirurgiens s'avouaient vaincus. Selon leur pronostic, elle n'en avait plus que pour un mois ou deux. Justine n'allait pas à son chevet, la vue des malades l'oppressait, disait-elle. J'étais la seule à lui apporter des mimosas et des marrons glacés ou des calissons. Elle ne digérait que les confiseries. La tumeur avait évolué si vite que les soins intensifs n'enrayaient plus sa propagation. Lily avait les traits ravagés par la douleur, que n'atténuait pas la morphine. En quelques semaines, elle avait fondu, elle avait les os saillants, un air spectral, mais chaque fois que je pénétrais dans sa chambre, je me croyais tenue de la raffermir en lui disant que les médecins lui avaient administré un traitement infaillible qui la rétablirait en peu de temps. Elle souriait d'un sourire contraint, comme si elle n'avait pas la force de mettre en doute mes affirmations, comme si je la berçais de pieux mensonges. Avec l'égalité d'âme de celle qui n'était pas terrifiée à l'idée de n'être bientôt plus que poussière, elle exprimait le vœu d'être incinérée dans la plus stricte intimité. Quand je lui murmurais qu'elle ne devait pas avoir des pensées aussi funèbres, elle me répondait par une cabriole : « Oui, oui, n'anticipons pas ! Je serai une centenaire, et même plus, je pulvériserai les records de longévité ! »

Justine me laissait faire les visites. De loin en loin, elle me passait un coup de fil pour savoir si Lily allait mieux. À peine avais-je articulé quelques mots qu'elle me coupait et raccrochait en me recommandant de bien veiller sur ma grand-mère, puisqu'elle-même était débordée. Elle vivait alors avec un videur de boîte de nuit, une espèce d'armoire à glace, pilier des salles de musculation. Interdite de chéquier, elle assiégeait les préposés des bureaux d'aide sociale, pour elle les serviteurs de l'État providence, tout en se plaignant de la modicité des aides. À quarante ans, elle ne se prenait toujours pas en charge, mais se défendait d'être une assistée. Elle se récusait devant tout ce qui, d'après elle, était trop lourd à porter. Elle soutenait désormais que, dans ce monde impitoyable, il fallait jouer perso, elle avait perdu en chemin sa foi en la fraternité. Elle avait été trop souvent dans la mouise et ses vieilles branches ne l'avaient pas dépannée. Depuis qu'elle était collée avec Fred, le videur du *Casablanca*, elle avait, me disait-elle, trouvé son équilibre. Fred n'épousait pas ses jugements politiques, il votait à droite, il était un obsédé du culturisme, il l'avait, me disait-elle encore, forcée

à arrêter la fumette et à s'inscrire dans un club de
fitness, comme si elle était une oisive ou une Rocke-
feller. Mais il avait aussi de bons côtés, il ne s'attardait pas dans les bars avec ses copains, il ne louchait
pas sur les rouquines capiteuses. Bien qu'il ait cinq
ans de moins qu'elle, il ne lui rappelait jamais leur
différence d'âge. Droit dans ses bottes, il pouvait
être la crème des hommes les jours où elle avait une
baisse de régime, m'assurait-elle quand je ne semblais pas persuadée que Fred lui voulait du bien. Il
n'était certes pas une lumière, mais il ne se la racontait pas, comme certains de ses ex. Elle s'était tellement repentie de s'être mise avec ceux-là et d'avoir
cru en leurs serments d'ivrognes, toujours en train de
sortir les violons pour l'embobiner quand ils étaient
sur le sable. Fred, lui, ne blablatait pas, ni ne faisait dans le pathos. Il était direct et franc du collier.
Cela, me soufflait-elle, la changeait des rigolos qu'elle
avait fétichisés, avant que le soufflé ne retombe et
qu'elle ne soit détrompée. Avec Fred, ce n'était pas
l'amour avec un grand A, mais fini les passions coû-
teuses, elle avait déjà donné. Elle n'aspirait qu'au
calme. Elle avait eu un mal de chien à redresser sa
situation, bien compromise. Fred ne correspondait
pas à son type d'homme, il était trop massif, il avait
le front bas, des yeux porcins, des sourcils touffus.
Ses battoirs vous broyaient la main quand il vous la
serrait. Il n'était pas comme la plupart de ses prédécesseurs, androgynes et de constitution délicate,
mais il leur ressemblait sur un point : il ne brillait
guère par son esprit d'entreprise. C'était une heureuse nature, qui se satisfaisait de peu. Il ne faisait
rien pour avoir un job plus valorisant, il dévelop-

pait ses muscles, mais il laissait son intelligence en jachère, il ne crachait pas sur le fric, mais il restait un smicard qui ne ramasserait jamais le jackpot. Justine disait encore qu'il manquait de distinction, dans ses complets, il était comme un orang-outang travesti. Pour achever le tableau, il avait une tendance à en dire de vertes et à rire tout seul de ses gauloiseries. Mais enfin, il payait de sa personne lorsqu'ils avaient un pépin, il traitait avec leur banquier ou bien obtenait une avance de son patron. Maintenant qu'elle n'était plus de première jeunesse, elle ne lâchait plus la proie pour l'ombre. Fred n'était pas le compagnon rêvé, mais elle faisait bon ménage avec lui, même si ce n'était pas tous les jours fête, même s'ils vivaient dans un deux pièces de Montrouge mal chauffé et meublé d'objets trouvés à l'Armée du Salut. Elle exerçait toujours sa verve contre les nantis, elle essayait de dissuader Fred d'accorder son suffrage à ceux qui étaient pour elle des ennemis du peuple, mais en vain, car Fred venait d'un milieu où l'on avait été gaulliste, puis chiraquien, de tout temps traditionaliste et antigauchiste. Il disait à Justine que la gauche caviar avait beau faire de l'agit-prop, ça ne prenait pas avec lui. Il était peut-être limité, mais il n'était pas assez bête pour marcher dans les salades des marxistes de salon. Il n'avait qu'un but : faire régner l'ordre au *Casablanca* pour jouir de la considération de son patron et avoir une augmentation. Avec de la chance, il s'établirait dans quelques années à son compte, il gérerait un bar-tabac et ferait des bénéfices. Justine redoutait d'être une commerçante, elle qui fustigeait le mercantilisme de son époque.

Mais quoi qu'il en soit, ils n'avaient pas le premier sou pour un pas-de-porte.

Elle était parfois condescendante avec Fred. Ses ambitions lui paraissaient sans envergure, elle aurait voulu qu'il soit moins balourd. « On ne se refait pas ! » s'exclamait-il lorsque, devant moi, elle trouvait à reprendre à son langage. Entre eux, c'était elle qui commandait, alors qu'avec ses anciens amants, elle était la bonne petite amie, ni tannante ni chamailleuse. En vieillissant, elle devenait de plus en plus autoritaire. Fred cédait du terrain pour avoir la paix. Malgré ses quatre-vingts kilos, il était comme un petit ourson, il se faisait dorloter, et s'appuyait sur elle quand il avait été au-dessous de tout à telle ou telle occasion. Elle rattrapait ses bourdes, surtout les fois où il avait été maladroit avec son patron, un gros plein de soupe qui se froissait vite et les tenait – Fred serait viré sans indemnités s'il avait tout d'un coup la fantaisie de renouveler son personnel. Justine ne pouvait pas l'encadrer, elle cherchait une autre place pour Fred, sans succès. Comme ils devaient régler les factures, rembourser la mère de Fred, qui leur avait consenti un prêt, ils n'avaient plus qu'à prendre leur mal en patience. Même en se restreignant, ils étaient criblés de dettes, les allocations que Justine recevait diminuaient, la mère de Fred, sans plus rien leur prêter, y allait de ses leçons de morale. Justine ne la portait pas dans son cœur, elle ne manquait jamais d'en médire et lui faisait un accueil mi-figue, mi-raisin lorsqu'elle s'incrustait chez eux, se mêlant de tout, trouvant leur cuisine infâme, la décoration de leur appartement sans cachet, leur linge de table graisseux, les jeans de Justine trop moulants, les chemises de Fred trop fripées. Mais comme elle avait un compte d'épargne et qu'ils espéraient en avoir une part, ils enduraient ses observations. Justine était tour à tour persifleuse et flagorneuse, elle se la conciliait pour qu'elle les couche sur son testament, même si elle avait toujours bon pied bon œil à soixante-quatorze ans, et même si Fred avait deux frères qui ne renonceraient pas à l'héritage, loin d'être considérable, mais eux non plus n'avaient pas un salaire de ministre.

Justine connaissait Fred depuis un an. Pour la première fois, elle s'installait dans la durée. « Un tiens vaut mieux que deux tu l'auras », me disait-elle en admettant qu'elle s'était rabattue sur Fred, puisqu'elle n'avait pas trouvé mieux. Elle aimait maintenant ses aises, encore que, avec Fred, ce ne soit pas la vie de château. Fini le temps où elle adorait voir du pays, créchait tantôt chez l'un, tantôt chez l'autre, se mettait en marge, n'appréciait que les originaux, un rien décadents, les vieux étudiants qui faisaient une thèse de sociologie ou de sciences politiques, les exégètes du Petit Livre rouge ou les artistes autoproclamés.

Pourquoi vous dirais-je tout cela, docteur Sullivan ? J'ai l'air de faire la charge de Justine, qui n'aurait pas dû être mère, tant elle était irresponsable. Je n'avais plus huit ans, je ne sanglotais plus le soir dans mon lit, parce que ma maman avait oublié mon anniversaire. Lily m'avait aidée à ne rien attendre de Justine, trop irréfléchie pour ne pas se jeter dans le tourbillon des plaisirs, trop inattentive à autrui pour répondre présent quand on lui lançait des signaux de détresse. Elle voulait vivre à cent à l'heure, profiter de l'existence. La maternité lui pesait, je lui donnais du souci, quoiqu'elle ne se soit préoccupée ni de mes retards ni de mes progrès. Elle s'était retrouvée à vingt ans avec une mioche sur les bras, alors qu'elle comptait bien s'amuser. Et elle s'était bien amusée avec mon père, qui pourtant n'avait rien d'un joyeux luron. Homme de devoir, inclassable, il se différenciait des égomaniaques dont elle s'était entourée. Il ne se conduisait pas comme en pays conquis, elle n'en était que plus avide de lui offrir son cœur, même s'ils n'avaient qu'une semaine devant eux pour se découvrir. Quel rôle jouait mon père dans la délégation communiste venue à Paris faire des prosélytes ? Avait-il pour mission de redorer le blason des viet congs, que certains se représentaient avec un couteau entre les dents, à cause de leur alliance avec les Soviets ? L'opinion publique en Occident commençait à leur être acquise, mais ils n'avaient pas cause gagnée, la route était longue jusqu'à la reconnaissance de la légitimité de leur combat. En une semaine, mon père et ses camarades s'étaient activés pour populariser leurs doctrines. Justine, qui participait à tous les rassemblements où était exigé le retrait des Américains du Vietnam, voyait en mon père le symbole même de la lutte d'un petit peuple héroïque contre l'hégémonie d'une grande nation puissamment armée.

En avril 1975, quand les tanks des bô dôi de Hô Chi Minh étaient entrés dans Saïgon, et que c'était le sauve-qui-peut parmi les G.I., Justine avait célébré la débâcle de ces derniers en déployant à sa fenêtre le drapeau nord-vietnamien et en buvant du mousseux avec tous les anti-expansionnistes qui avaient fait entendre leur voix lors de marches pacifiques. Plusieurs années après, lorsque la population de la nouvelle République socialiste s'enfuyait par bateau pour ne plus crever de faim et croupir dans les camps, Justine ne concédait pas qu'elle se soit trompée. D'après elle, les médias occidentaux faisaient de l'intox en montrant les faillites d'un pays frère de l'URSS. Et puis, elle avait alors le béguin pour un Philippin, elle faisait une fixation sur Manille et sur « l'épouvantable Imelda Marcos », avec ses milliers de paires de chaussures et ses appartements à Manhattan, achetés des millions de dollars grâce à des détournements de fonds.

Elle ignorait encore que mon père était mort, non pas au front, mais d'un accident vasculaire cérébral, peu avant la prise de Saïgon par les troupes de Hô Chi Minh. Ce n'est que plus tard, sur un coup de tête, qu'elle écrivit au frère de mon père, à l'adresse qu'elle avait gardée, pour demander de ses nouvelles. Elle reçut quelques lignes, où son correspondant ne s'étendait ni sur ce que mon père était devenu ni sur sa brusque disparition, et ne cachait pas son étonnement à la lecture de sa lettre, car le défunt ne lui avait pas parlé d'elle. L'exhibitionnisme lui répugnait, jamais il n'aurait étalé ses amours, disait Justine, qui refusait de voir les choses en face.

J'avais seize ans alors, et des troubles du comportement. J'étais agoraphobe, à un point tel que tous les lieux publics m'effrayaient, si obsessionnelle que rien ne me décoinçait, si farouche que je ne m'humanisais pas, si lunatique que je décollais du réel, si anorexique que j'étais tout osseuse, si mal dans ma peau parfois que Lily craignait une fugue.

Je n'avais pas fugué, mais j'avais des pulsions suici-
daires. Je leur imposais silence en piochant comme
une khâgneuse, en cherchant dans les livres des pos-
sibilités d'évasion. Justine n'avait pas du tout remar-
qué que j'avais des accès de blues, ou pire. Elle était
toujours entre deux flirts et n'avait pas une minute
pour moi. J'étais la plupart du temps seule dans le
studio qu'elle avait loué près de la gare de l'Est,
depuis que, sur un autre coup de tête, elle m'avait
enlevée à Lily. Elle n'était pas une mauvaise mère,
disait-elle, elle n'allait pas me laisser indéfiniment à
ma mamie, qui prenait de l'âge et me gâtait trop.
Sans m'élever à la dure, elle me mettrait face à ses
galères, je saurais ce que c'est que de se bagarrer
pour défendre son bifteck. Elle avait la guigne, mais
une chiromancienne lui avait prédit qu'aux alen-
tours de la quarantaine, elle sortirait du tunnel. Ce
n'était pas trop tôt ! Après des années de dèche et
de malchance en amour ! Elle guettait un changement favorable, qui ne venait pas. Elle était toujours
intérimaire, elle ne tirait toujours pas le gros lot,
son dernier amant, Phil, vivait petitement de son
chômage. Pas de dépense extravagante, pas même
un restaurant en fin de semaine. Cela ne serait rien
s'il n'avait pour elle des sentiments tiédasses. Il ne
s'investissait jamais, dans quelque domaine que ce
soit. « Faute de grives, on mange des merles », disait
Justine, en ajoutant qu'elle n'avait plus vingt ans,
elle n'allait pas faire de la mousse pour une tocade.
Tout plutôt que la solitude ! Il y aurait des jours
meilleurs. Elle avait encore un beau châssis, elle
n'était pas fanée. Elle ne demandait qu'à mordre la
vie à pleines dents – à bon entendeur, salut !

Ma cohabitation avec Justine ne devait pas durer longtemps. Au bout d'un an et demi, elle ne me supportait déjà plus. Elle ne pouvait pas faire venir Phil quand j'étais là. Elle s'empoisonnait le dimanche pendant que je lisais *Sodome et Gomorrhe*. Elle qui avait toujours la flemme de tout remettre en ordre, elle devait ranger son bazar, parce que nous étions à l'étroit. Mes livres prenaient trop de place dans les vingt mètres carrés qui n'avaient comme ameublement qu'une penderie, deux lits de camp, deux chaises et une table pliante que je squattais pour travailler. L'appartement était une étuve en été, une glacière en hiver. Quelle que soit la saison, Justine réchauffait des conserves sur la plaque électrique du coin cuisine. Mais la nourriture m'écœurait. Je vomissais après chaque dîner, en cachette. Elle me trouvait pâlotte, elle mettait mon amaigrissement sur le compte de mes longues veilles, où je bûchais d'arrache-pied. Et pour quel résultat ? Pas de quoi bicher, vu mon état. Elle me gavait d'Ovomaltine, de barres aux céréales. Je rendais tout la nuit, lorsqu'elle dormait. Elle laissait à Lily le soin de me faire cadeau des ouvrages que je convoitais. Ce n'était pas de première nécessité, je n'avais qu'à les emprunter à la bibliothèque. Son sixième sens lui disait que quelque chose ne tournait pas rond chez moi, mais elle n'y attachait pas d'importance.

Je n'étais plus cette fillette qui se faisait une fête de passer une journée avec elle. J'avais durci mon cœur, je m'abîmais dans les études, je ne m'en tenais pas aux gloires du panthéon littéraire, je me fouettais le sang en me plongeant dans les œuvres des talents novateurs. Lorsque Lily m'ouvrait sa bourse, je raflais chez les bouquinistes des éditions introuvables. J'étais si souvent à la ramasse qu'il me fallait des transfusions de culture, comme disait Richard Wright dans *Black Boy*. Selon Justine, je me claquais en forçant mes aptitudes. Elle ne se sentait pas de me soigner si je me détraquais la santé.

D'avoir une fille déjà adolescente lui donnait un coup de vieux. Elle répétait qu'elle ne cédait en rien ni aux jeunes de vingt ans ni aux bourges qui se faisaient ravaler la façade. Elle poussait de profonds soupirs les matins où elle devait payer la cantine, m'acheter des fournitures de classe, des tickets de métro. C'était autant de joints en moins. Elle voulait bien faire en me prenant chez elle, mais la sollicitude maternelle n'était pas dans ses cordes. Elle s'impatientait contre moi, qui ne la mettais pas en veilleuse lorsqu'elle me rentrait dedans. Dix-huit mois sous le même toit et elle était près d'éclater. Sans ambages, elle me dit que le mieux pour nous deux était que je retourne auprès de ma grand-mère. Vivre ainsi l'une sur l'autre n'était pas tenable, elle s'exténuait à courir après les sous. Seule, elle s'en tirait toujours, mais avec une enfant à charge, elle n'y arrivait pas. Puisque ma mamie ne rechignait pas à pourvoir à mes besoins, elle abdiquait. Ouf ! Le mot était lâché ! Elle refilait à Lily la patate chaude. Elle déclinait, ironisait-elle, l'honneur de me suivre, moi si cultivée, alors qu'elle-même avait décroché avant la terminale. C'était pour mon bien qu'elle me laissait à sa mère. Bientôt, il me faudrait être indépendante, autant m'habituer dès maintenant à ne compter que sur moi-même. Il était bon à mon âge de se couper de ses parents. Je n'avais pas eu de père, j'apprendrais aussi à me passer de maman. Elle viendrait me voir le week-end, si Phil ne la cramponnait pas, parce que certains jours il n'était pas au top et il la suppliait de rester. Il était comme ça, il ne se donnait pas à fond, mais quand il avait un coup dans l'aile, il fallait qu'elle soit là. Elle ne pouvait se dédoubler, s'occuper à la fois de lui et de moi. Elle tenait à lui, quoiqu'il ne soit ni un accrocheur ni un boute-en-train. Pour ne plus avoir à faire la navette entre le dixième et la porte d'Ivry, elle résilierait le bail de son galetas dès que je serais partie et percherait chez Phil. C'était convenu entre eux. Ils ne s'idolâtraient pas, mais ils avaient en commun le goût de se défoncer, cela créait des liens.

Je retournai donc rue Rouvet, où Lily se ressentait d'un ulcère gastrique qui devait dégénérer en cancer. Malgré ses brûlures d'estomac, elle allait à son théâtre et ne se reposait pas sur la jeune costumière qu'elle formait afin qu'elle puisse lui succéder. Elle ne se ménageait pas, dormait peu, s'affairait du matin au soir, comme mue par un ressort : si elle se relâchait, elle perdrait toute sa résistance, si elle s'écoutait trop, elle serait déliquescente. Mon retour la réjouissait, elle m'offrait des livres d'art ou des parutions de la Pléiade. Sans ma maigreur (je pesais trente-huit kilos), sa joie aurait été complète. Elle me composait des menus riches en protéines qui m'auraient remplumée si je n'avais pas vomi mes repas. Elle se mettait en peine pour moi, alors qu'elle s'affaiblissait de jour en jour et que les premiers symptômes d'une tumeur maligne se déclaraient. Elle voulait m'emmener chez un nutritionniste, qui aurait pallié les dysfonctionnements de mon organisme.

Depuis qu'elle m'avait mise à la porte, Justine avait juste envoyé une carte à Noël, disant qu'elle était avec Phil à Saint-Malo, grâce à la prime qu'il avait touchée en décembre et à un petit chèque qu'il avait reçu de sa sœur. Ils avaient pris une chambre d'hôte et ils allaient se contenter de crêpes au réveillon. C'était le dernier hiver où Lily était encore assez vaillante pour faire route jusqu'à son théâtre. Elle cherchait des costumes pour une pièce de Strindberg, *Le Pélican*. Je venais d'entrer à la fac, j'étais en littérature comparée, j'étudiais avec d'autant plus d'acharnement qu'un dérivatif m'était indispensable, car l'état de ma grand-mère s'aggravait. Au printemps, le diagnostic tomba : les cellules cancéreuses proliféraient. Après une première opération qui n'avait pas été une réussite, on lui prescrivit une chimiothérapie. Elle n'était pas encore hospitalisée, mais elle gardait le lit, elle avait des étourdissements quand elle se levait, elle tenait à peine debout. Je lui faisais des bouillons et du riz au lait, elle ne voulait rien d'autre. Je rentrais avec des magazines comme *Géo* ou *Beaux-Arts*, pour qu'elle se distraie pendant les après-midi où j'étais à la Sorbonne. Elle n'était pas une malade capricieuse, elle ne prenait pas à partie les médecins qui l'avaient condamnée, les infirmières qui l'avaient complimentée sur sa bonne mine, elle se coiffait et s'arrangeait avec soin même lorsqu'elle restait couchée. Elle avait toujours le mot pour rire, surtout quand son ami André, le bruiteur, passait à la maison. Ils faisaient un brin de causette, parfois jusqu'à minuit, elle étincelait, elle triomphait de sa faiblesse physique en pétillant d'esprit, elle éludait adroitement chaque fois qu'il s'enquérait de l'efficacité de son traitement, elle lui demandait de mettre les disques de Kathleen Ferrier, de lui lire *Nadja* ou *Anna Karénine*. Tant qu'elle ne devenait pas une hypocondriaque, disait-elle, elle aurait prise sur la maladie. Son heure n'avait pas sonné, elle ne mourrait pas avant que j'aie mon doctorat, elle se verrait récompensée de ce qu'elle avait fait pour moi, si facile à combler.

Pourquoi ces retours en arrière, docteur Sullivan ? Je m'adresse à vous, comme si vous étiez en face de moi. Mais lorsque je serai dans votre cabinet, j'aurai peine à me livrer au déballage, quand bien même cela me soulagerait. Les cendres de Lily ont été dispersées au jardin du souvenir du Père-Lachaise. Nous étions trois au crématorium : André, Justine et moi. J'avais vingt ans et, avec ma grand-mère, je perdais mon principal soutien. Je décidai de quitter l'appartement de la rue Rouvet, qui revenait à Justine. J'avais déjà interrompu mes études. Le créateur de mode qui m'avait embauchée faisait ses débuts, mais ses collections allaient connaître une vogue inouïe. J'étais inexpérimentée, il ne me confiait que de menues tâches, je répondais au téléphone, je tenais pour lui son agenda, je triais les visiteurs, je mettais à jour le dossier de presse. Justine réprouvait que je sois au service d'un styliste : ce monde-là, c'était néant et compagnie. Finalement, je n'étais qu'une baby doll, attirée par le strass, subjuguée par les mannequins qui parlaient chiffons à longueur de temps et se croyaient les Galatées d'un Pygmalion très au-dessus du commun des mortels.

Dans cet Olympe, je serais à l'abri des trivialités et, à condition d'être suiviste, je m'élèverais par paliers, je ne resterais pas *ad vitam æternam* assistante. Tant mieux pour moi, mais je n'aurais pas son assentiment. À quoi avaient servi ses réquisitoires contre l'industrie du luxe ? Des modèles hors de prix proposés à quelques dondons, pendant que les chiffonniers du Caire recyclaient des déchets pour vivre, des mannequins qui jeûnaient pour ne pas grossir, pendant que les Biafrais, affamés, tombaient comme des mouches.

Elle était cependant bien aise que j'aie décampé de l'appartement de la rue Rouvet. Lily le lui avait légué en pensant qu'elle et moi y habiterions ensemble. Mais maintenant elle avait Fred, et il aurait fallu que tous trois nous partagions un petit espace. Hériter du deux pièces de Lily permettait à Justine, qui n'avait plus de loyer à payer, de respirer. Elle ne devait plus se l'accrocher, comme elle disait. Ce n'était pas l'aisance, loin de là, mais Fred et elle pouvaient se désendetter, se fournir chez des épiciers qui avaient de bons produits plutôt que dans des discounts, aller une fois par mois déguster des fruits de mer à *La Criée* au lieu de manger des escalopes panées dans des selfs, prendre des vacances, même en faisant du camping en Vendée.

Je ne voulais surtout pas m'en remettre à Justine qui, de toute façon, se serait opposée à ce que je me lance dans un long cursus, n'aurait pas accepté d'être la mère d'une licenciée, elle qui avait été à l'école de la pauvreté… Aussi, je m'étais vite trouvé un gagne-pain. C'était tellement tendu entre elle et moi que j'évitais même de lui téléphoner. Le faisais-je, elle prenait un ton froid, ne me demandait ni comment je me portais, ni si je n'étais pas trop désemparée sans Lily. Un mur d'incommunicabilité se dressait entre nous. Elle ne songeait qu'à protéger son couple, dès lors que ses finances allaient mieux. La chiromancienne avait vu juste. La quarantaine marquait pour elle un tournant. Elle s'assurait un port, après avoir navigué de-ci de-là, essuyé des tempêtes, embarqué à son bord Pierre, Paul et Jacques, juré chaque fois qu'on ne l'y reprendrait plus, car ils avaient tous peur de s'engager. Fred, au moins, ne reculait pas devant la perspective de s'enchaîner à elle. Il avait quatorze ans d'âge mental, mais il n'était pas plein de lui-même. Il ne faisait jamais tout un cirque pour paraître plus futé qu'il ne l'était.

« La mort de Lily m'a sauvée du surendettement », disait Justine au téléphone. « C'est malheureux, hélas, c'est ainsi », poursuivait-elle d'une voix blanche. Elle ne lui souhaitait pas d'agoniser à l'hôpital, même si elles n'avaient jamais été proches. En ayant ce que vous, docteur Sullivan, appelleriez une personnalité labile, sujette aux virevoltes, en passant d'une chose à une autre sans rien approfondir, en se moquant de poursuivre sa scolarité, en étant toujours par monts et par vaux, en menant une vie désordonnée, en changeant d'amant comme de chemise, en tombant enceinte à dix-neuf ans, alors qu'elle était sans toit, elle avait donné bien des inquiétudes à Lily, qui déplorait de n'avoir pas eu un fils. Il y avait de l'incompréhension entre elles. Lily n'avait sans doute pas été une mère sans reproche, Justine n'avait pas pour elle de la déférence. Les sixties étaient des années où l'on prônait la fuite hors du cocon familial. Justine n'avait fait que suivre le mouvement. Il lui déplaisait d'être une jeune fille qui ne s'était pas émancipée, elle voulait marcher sur les traces des maîtresses femmes, mais elle était d'une telle sentimentalité qu'elle bémolisait pour ne pas se retrouver seule. De ses expériences amoureuses, j'aurais de quoi écrire tout un livre. Depuis que Fred et elle vivaient au coude à coude, elle s'était modérée, même si elle gaspillait tout son argent, de sorte que Fred devait se dégoter des vestons aux puces. Elle disait qu'elle n'avait que des lots de consolation, ce n'était pas gentil pour Fred, mais elle n'avait plus la berlue, avec lui, elle n'escomptait qu'un peu de confort matériel, une conjugalité douillette, dès l'instant qu'ils s'étaient mariés. Ils n'avaient invité que les frères de Fred au vin d'honneur de leurs noces. Dans ses habits neufs d'épouse, Justine faisait de son mieux pour se corriger et tenir sa maison comme il fallait. Dès qu'elle avait emménagé rue Rouvet, en femme d'intérieur, elle avait revu la décoration de l'appartement, mis partout des plantes vertes, remplacé les étagères branlantes par une encoignure vitrée, les stores en plastique par des jalousies en bois, les tapis usés par des kilims. Elle était bien dans ses charentaises. Les odyssées en Inde, les départs précipités pour La Havane, les séjours dans des fermes aux commodités rudimentaires, tout cela était loin. Elle avait quarante ans, il était grand temps de poser ses valises quelque part. Après l'exit des comiques qui oubliaient qu'on ne badine pas avec l'amour, elle se ferait plutôt hacher que d'accrocher son wagon au train d'une de ces baudruches. Fred n'était pas comme mon père, doté d'un Q.I. phénoménal, mais il avait du coffre et il n'avait qu'une parole.

Elle épargnait mon père quand elle massacrait les hommes. Je ne savais de lui que ce qu'elle m'en disait, j'aurais donné cher pour avoir un autre son de cloche, mais Lily, qui ne l'avait vu qu'une fois, me l'a dépeint aussi comme un être d'exception, un égalitariste éradiquant les féodalités, un idéologue pétri de léninisme, un nationaliste de choc, en adhésion avec les théories de Hô Chi Minh, qui œuvrait pour la souveraineté du Vietnam, un épervier, toujours sur le sentier de la guerre, un tendre pourtant, ému par Justine, si peu méfiante alors.

J'aurais préféré avoir un père moins remarquable et moins léger. Il avait été bien léger en entraînant Justine dans une aventure sans lendemain. Il était bien plus âgé qu'elle, il avait à Saïgon une femme, qu'il avait laissée en plan pour se rallier au parti de Hô Chi Minh, s'il avait été conséquent avec lui-même, il n'aurait pas été un ambassadeur des viet congs tenté par l'érotisme, qui s'accordait une récréation entre deux meetings politiques, sans se tracasser pour des vétilles – les *suites fâcheuses* qu'auraient ses frasques, c'est-à-dire ma naissance. Lui, dont Justine vantait la rectitude, avait misé sur son ingénuité pour en tirer parti. Je suis peut-être injuste avec lui, mais je ne lui pardonne pas de n'avoir été qu'un père fantôme.

Je nourrissais contre lui des rancunes croissantes. Elles avaient tourné en haine de soi, perceptible dans mes pratiques d'ascétisme où je me privais de nourriture, dormais à peine, faisais au bureau des journées de seize heures, même le samedi, la nuit m'usais à emmagasiner des connaissances en matière de haute couture, tout en lisant des vies de saints, sans que cela me ramène à une certaine sérénité.

Je m'étais mis en tête de me rendre au Vietnam, pays désormais moins fermé au monde. Je me promettais de faire la lumière sur les manquements de mon père. J'avais l'adresse de son frère, resté dans le Sud. Je ne voulais faire escale que dans les villes où mon père avait vécu. Dès l'atterrissage de mon avion à Saïgon, je pris un train qui devait me conduire dans le delta du Mékong, chez mon oncle, quoiqu'il en aurait été bleu si je l'avais appelé ainsi. C'était un lexicographe devenu, après les purges, réparateur de vélos. Il m'accueillit avec cordialité, me disant d'entrée de jeu que la ressemblance entre son défunt frère et moi était frappante. Après deux heures d'un entretien d'où il ressortait qu'il n'était pas en mesure de m'expliquer le pourquoi et le comment des manquements de mon père, il m'apprit que j'avais un demi-frère, prénommé Van.

Midi

Lou

Au courrier, je n'ai trouvé qu'un mot de Rachid. En classant ses lettres, il est tombé sur une vieille carte, une vue de Salvador de Bahia, que Van lui avait postée et qui portait au dos cette seule phrase : « Lou est la perfection faite femme. » Rachid a pris cette phrase à la lettre, il a cru bon de m'envoyer ce qui pourrait être un adoucissement pour moi qui ne sais plus où j'en suis. Van était spécialiste de ce genre de déclamation lorsqu'il avait bu un verre de trop, il se posait comme un amoureux comblé, surtout les premières années de notre mariage. Nous étions allés en Amérique latine, à Buenos Aires, à Rio et à São Paulo, avant de faire étape à Salvador. Il me lisait Amado, il n'avait pas encore découvert Machado de Assis, qu'il devait mieux aimer, le jugeant plus voltairien. Laure n'était pas née. Van et moi avions la bougeotte. Nous partions tous les mois, ici ou là, nous voyagions en routards, nous avions malgré tout des moments divins. Van ne me hissait pas sans cesse sur le pavois, mais il écrivait à Hugues et à Rachid qu'il n'avait pas lieu de regretter d'en avoir fini avec sa vie de garçon. En me lançant des fleurs, peut-être cherchait-il à se convaincre qu'il avait été bien avisé de me choisir, que nous n'étions pas ordinaires, que nous traverserions les épreuves main dans la main. En ces temps-là, nous avions en quelque sorte scellé un traité de non-agression. Aucun des deux ne piquait de coup de sang, même quand l'autre lui échauffait les oreilles. Nous nous interdisions de susciter des querelles, nous maintenions le cap, qui était de ne pas être exécrables. Van se révélait plaisant, je n'étais pas encore cette furie qui ne lui passait rien.

Tout s'était dégradé lorsque Laure avait huit ou neuf mois, en partie parce que le pouponnage requérait toute notre attention, en partie parce que je m'étais amourachée de Ludovic. Il y avait une faille dans notre entente. Je laissais courir, Van ne s'empressait pas de ressouder les fissures. Selon un processus bien connu, nous étions si habitués à nous voir que nous ne nous voyions plus, nous n'avions plus l'un pour l'autre de ces prévenances qui sont la marque, sinon d'un immuable dévouement, du moins d'un désir de rendre la quotidienneté moins grise. Nous nous heurtions souvent, l'atmosphère était à l'orage, Van cuvait son irritation, je tournais et retournais l'insoluble dilemme : rengainer mon orgueil, chose inconcevable, ou bien provoquer un de ces clashs lourds de conséquences.

Van n'aurait pas dit que j'étais « la perfection faite femme » dans ces années où je m'éloignais de lui, passant mes mercredis avec Ludovic, pendant qu'il repartait à la conquête des créatures de rêve. Il se faisait du cinéma, je fantasmais une intrigue avec Ludovic. Nous prenions des chemins divergents, j'étais acrimonieuse, lui pas moins blessant. Il ne nous restait qu'à baisser le ton pour sauver les meubles. Grâce à notre fille, il se faisait entre nous des replâtrages, nous n'envisagions pas de nous séparer.

J'établissais des comparaisons entre Ludovic, qui me décontenançait par ce qu'il avait d'élusif, et Van, qui n'était plus un mystère pour moi... Vraiment ? Je pensais alors que rien, venant de lui, ne me paraissait inattendu, les automatismes avaient tué l'enivrement du début, les tracas de tous les jours avaient eu des répercussions disproportionnées, nos dissentiments avaient accentué les aspérités de mon caractère. L'éblouissement qui avait présidé à nos pérégrinations en Amérique du Sud s'était volatilisé. L'heure était aux transactions, pour que tout n'aille pas de mal en pis.

Mon père arrivait de temps en temps de Quimper avec des peluches pour Laure et d'énormes romans paysans pour Van. Je n'avais plus grand-chose à dire au vieillard, retraité passant ses journées à jardiner et à faire du bateau, depuis qu'il avait, avec des amis, acheté un petit voilier. J'étais quand même touchée qu'il se donne la peine de me téléphoner et, presque toutes les trois semaines, de rouler pendant des centaines de kilomètres à bord de sa vieille bagnole pour embrasser Laure. Je m'étais brouillée tout de bon avec ma mère. Elle avait snobé mon mariage, et bien sûr ne s'était pas montrée à la maternité lorsque j'avais accouché. Elle ne tirait vanité que de la prospérité de mes frères, moi je n'étais personne. Mon père jouait les conciliateurs, mais je ne mollissais pas, elle ne rentrait pas ses griffes. Elle m'avait coupé les vivres quand j'avais quitté la maison. Sans les mandats de mon père, qui se cachait d'elle pour me les expé-

dier, j'aurais été à sec. « Bon débarras ! » s'était-elle
écriée lorsque j'avais fait mon baluchon. Une fois
que j'avais atteint la majorité, elle se gênait encore
moins avec moi, elle minimisait mes mérites, elle
louait ses fils, jeunes loups déjà propriétaires d'un
appartement à Quimper et d'une résidence secon-
daire à Courchevel. Je ne m'étais pas encore présen-
tée au concours de l'École normale qu'elle m'acca-
blait de son mépris : je ne serais qu'une petite instit,
livrée à de turbulents têtards.

Le jour où j'avais épousé Van, c'est-à-dire un de
ceux qui étaient pour elle les « macaques du tiers
monde », elle m'avait annoncé qu'elle me déshéritait.
Pas de sang-mêlé parmi ses descendants, m'écrivait-
elle. Issue d'une famille bien enracinée dans le terroir, elle avait sa conception de la pureté de la race :
que les gens de couleur restent dans leur ghetto,
on ne mélange pas les torchons et les serviettes, un
bon immigré est un immigré qui ne prétend pas à
plus que ce que les Français de souche daignent lui
adjuger, c'est bien beau la charité, mais les Blancs
seraient exterminés comme les Indiens d'Amérique
s'ils ouvraient leur porte à tous les basanés, mau-
dite engeance qui se reproduit comme des lapins.
Je m'étais mariée sans son consentement, et avec un
Annamite ! Dieu du ciel ! Elle l'avait prévu ! Je faisais
exprès de salir son nom, si honorable. Pendant des
pages et des pages, elle crachait son venin. J'aurais
une nichée aux yeux bridés, je serais l'esclave d'un
Jaune qui prendrait des concubines. Je me prépa-
rais un brillant avenir ! Voilà où menait la désobéis-
sance. J'avais toujours agi à ma guise malgré ses mises
en garde. Et pour quoi, au bout du compte ? Pour

lier ma vie à celle d'un Asiate assurément ni courtois ni fortuné, alors qu'elle avait en vue un jeune cadre bien sous tous rapports, qui ferait un gendre idoine. Que je ne vienne pas pleurer quand mes yeux se seront dessillés ! Les mariages mixtes mettent en péril les mœurs ancestrales de l'Occident. La fourberie des étrangers originaires d'Extrême-Orient n'est plus à démontrer. Ils s'insinuent partout, si on ne les freine pas, ils ne nous inonderaient pas seulement de leurs marchandises, ils nous tiendraient sous leur loi. Ils en veulent, ces anciens colonisés ! Les belles âmes prêchent la repentance, en ne se rappelant pas que sans les distingués Européens ces gueux vivraient encore comme à l'âge des cavernes. Elle s'était ingéniée à imprimer dans mon cœur la religion des valeurs qui faisaient la supériorité des Blancs, elle m'avait éduquée de manière que je sois une aimable chrétienne, une Bretonne bretonnante, que je représente un parti tentant aux yeux du gotha quimpérois, elle ne frayait qu'avec des messieurs de haute naissance, avec des notables réputés pour n'admettre à leur table que de bons Français. Que leur répondrait-elle lorsqu'ils l'interrogeraient sur moi ? Que j'avais pour mari un traîne-savates ? Et d'abord, d'où sortait-il, celui-là ? Ses aïeux devaient être des tireurs de pousse-pousse, son père un mangeur de manioc, sa mère une joueuse de mah-jong qui l'aurait vendu au plus offrant si elle l'avait pu. Ces gens-là parlent petit-nègre, sont des brutes épaisses, des captateurs d'héritage. Elle ne serait pas la belle-mère d'un coureur de dot, elle ne me donnerait donc pas un centime. La peste soit de moi et de mon Annamite ! concluait-elle dans un élan moliéresque.

Il valait mieux en rire, être au-dessus de tout cela et ne pas réagir. Tant d'encre pour déverser un flot d'injures racistes. Elle avait toujours jugé ses prochains sur la couleur de leur peau, elle avait toujours considéré que le délit de sale gueule justifiait les arrestations, elle avait toujours voté pour la droite extrême, elle s'était toujours délectée des discours sur la grandeur de la France, elle avait toujours élevé mes frères dans la croyance que les Gaulois étaient des surhommes, qu'ils étaient de plein droit les maîtres de la vermine des pays sous-développés, que les étrangers étaient responsables de la décrépitude de la civilisation française, que les pouvoirs publics étaient d'une coupable tolérance face à l'afflux d'immigrants, qu'il fallait élire des députés qui affréteraient des charters pour renvoyer les indésirables chez eux. Elle avait toujours été vaine de ses possessions, imbue de préjugés contre celui qui venait d'au-delà des frontières, ignoble avec celui qui n'était pas au sommet de l'échelle, odieuse avec son mari, qui subissait ses avanies sans même tiquer.

Cette fois-ci elle s'était surpassée, elle était encore plus vipérine que de coutume. Bien entendu, je n'avais pas fait part à Van de cette lettre, mais je l'avais gardée pour avoir la preuve qu'elle était une pauvre folle, délirant sur la suprématie des Occidentaux. Laure n'a jamais vu sa grand-mère, je lui ai dit que c'était une vieille chouette. Jamais je ne remettrais les pieds à Quimper, elle pouvait claquer, je n'irais pas à son enterrement. Le chapitre était clos, je ne reviendrais pas là-dessus. J'avais suffoqué ma fille, tant mon ton était vif. Van hochait la tête, il prenait fait et cause pour moi et, sans avoir approché la reine mère, l'avait classée. D'après mon père, sa xénophobie avait redoublé. Elle tempêtait contre « les bougnouls, les négros, tous voleurs et malhonnêtes ». Même mes frères se carapataient dès qu'elle l'ouvrait. Ils vivaient avec des Finistériennes, mais elle était si rude avec ses brus qu'elle attisait la discorde. Je me félicitais d'avoir rompu toutes relations. Elle menait son monde à la cravache, personne ne s'avisait de la contrer.

Je me souviens que, dans mon jeune âge, je me demandais comment la malveillance de ma mère ne m'avait pas infectée. C'étaient toujours les mêmes ritournelles : « Ils ne sont pas comme nous autres, les civilisés », « Ils nous envahissent, on n'est plus chez soi ». Elle disait des horreurs sur une amie guadeloupéenne, Maeva, que j'avais à dix ans : « Une moricaude, une morue ! Pas de ça dans sa maison ! Les Antillaises sont notoirement des souillons et des dépravées ! Elles ont le vice dans le sang ! » Quand elle venait me chercher à l'école, elle fusillait du regard Maeva qui me tenait la main et m'arrachait à elle en hurlant. Ces scènes se renouvelaient, jusqu'à ce que Maeva ne veuille plus être mon amie.

J'avais reçu cette sorte d'éducation qui aurait étouffé en moi toute sensibilité si je n'avais puisé ailleurs des leçons d'humanité. Je m'étais destinée à l'enseignement pour transmettre des idées généreuses. Je m'assignais la tâche d'amener les bambins à n'avoir aucune prévention contre les petits nés sous d'autres cieux. J'allais à l'encontre des doctrines qui étaient celles de ma mère. Je me décrassais des abjections entendues. Je n'étais pas naïve au point de croire que, par l'instruction donnée aux

enfants, je purgerais la terre des chauvinistes hai-
neux, je n'étais pas coupée de la réalité au point de
me figurer que les pseudo-théoriciens de l'inégalité
des races étaient en perte de vitesse.

Peut-être devrais-je remercier le ciel d'être née d'une
femme aussi bornée. Sans ses ordures de mémère qui
se piquait d'avoir lu Gobineau, je n'aurais pas fait ma
pâture de tout ce qui était universaliste, je n'aurais
pas aimé chez Van son cosmopolitisme. Il ne se défi-
nissait ni comme un Asiatique pour qui la France
serait devenue la patrie d'adoption, ni comme un
Français du seul fait qu'il vivait depuis des lustres
à Paris, qu'il avait une plus longue familiarité avec
les œuvres rimbaldiennes ou flaubertiennes qu'avec
le Tao Te King. À Belleville, quoiqu'il y ait parfois
des tensions entre les diverses communautés, il était
comme un poisson dans l'eau, il allait aussi bien chez
le coiffeur chinois que chez le fruitier arabe, dans les
bars à narguilé qu'aux sandwicheries turques. Son
quartier, c'était la foule composite massée devant les
bouches de métro, les Africains en boubou, les vendeurs à la sauvette, les étalages de produits exotiques,
les vitrines des pâtisseries orientales, les bazars de la
rue Ménilmontant qui soldaient des articles ména-
gers. Pour lui, rien ne valait un thé à la menthe
pris avec Rachid dans un restaurant de couscous,
un gin-fizz bu avec Hugues à la terrasse du *Cannibale*, non loin de notre appartement.

Lorsqu'il était étudiant, il avait une chambre de
bonne à Barbès, qu'il payait en livrant des pizzas,
en distribuant des prospectus, en faisant la plonge
dans des brasseries, en étant même baby-sitter. Son
tuteur n'avait plus les moyens de l'aider, parce qu'il

avait fait la culbute, suite aux folies de ses jumeaux. Comme Van n'était pas dans les meilleurs termes avec eux, qui le tenaient pour un parasite, il n'avait d'autre choix que de louer une chambre. L'ère des affrontements entre les sympathisants de la Gauche prolétarienne et les militants d'Occident était plus ou moins révolue, mais à la fac de Van, une ligne de démarcation séparait les ultraréactionnaires et les gauchistes. Plus nervalien que sartrien, Van ne se politisait pas, il ne se rendait pas aux isoloirs, alors qu'il avait un passeport fraîchement délivré par la préfecture de Paris. Mitterrand venait d'être élu président, les communistes étaient entrés au gouvernement, Van constatait une évolution des mentalités, encore que, selon lui, la vague rose risque bien d'être éphémère et qu'une réelle mutation de la société ne soit pas pour demain. Hugues et Rachid applaudissaient aux réformes introduites par les socialistes. Van était d'avis contraire : la France profonde restait conservatrice, peu hospitalière aux migrants, encore plus encline à la raideur depuis que Mitterrand était à l'Élysée. Il se pourrait que le PS prenne une piquette à d'autres élections. Et le réalisme cynique l'emporterait. Van était trop sceptique pour aller dans le sens du vent, même lorsque le peuple de gauche semblait avoir le dessus. Il n'avait jamais été la groupie d'aucun chef de parti. Un peu anar, toujours récalcitrant, il tonnait parfois contre la duperie des politiciens, clientélistes et pressés d'arriver. Hugues et Rachid lui disaient de ne pas tout confondre. Le « tous pourris » faisait le jeu des antidémocrates. Van leur rétorquait que même les purs se laissent corrompre pour occuper le terrain, que même les plus radicaux réajustent leurs revendications quand la base ne les suit plus. Le pouvoir oblige à des compromissions, les parlementaires de tous bords ont les reins souples et se tiennent par la barbichette. C'est donnant, donnant, une cuisine dégoûtante. Van, qui avait vécu dans son pays sous la république bananière d'autocrates pro-américains, puis sous la dictature communiste, nous alertait contre les dérives politiques. Bien des fascisants avaient une tribune, bien des démagos se faisaient passer pour des sauveteurs auprès des crédules en les caressant dans le sens du poil.

Pour Hugues et Rachid, celui qui ne déposait pas son bulletin dans l'urne n'avait pas voix au chapitre. Van n'accomplissait pas son devoir de citoyen, il n'était qu'un vieux bougon, qui n'apportait rien de constructif. Eux, n'avaient pas mis au placard les slogans de Mai 68, même s'ils n'avaient pas six ans à cette époque-là. Ils montaient au créneau chaque fois qu'il y avait une cause à défendre. Tandis que lui n'avait aucun geste de solidarité, à part l'aménagement de son bibliobus pour les banlieusards. Son négativisme excédait Hugues et Rachid. Il s'ensuivait des passes d'armes. Van disait *niet* à tout. Hugues et Rachid lui décernaient le premier prix d'incivisme. Van se moquait d'eux, qui s'excitaient sur les promesses électorales et pratiquaient la méthode Coué. Ils se répétaient que leur vote sanction amènerait les décideurs à prendre en compte le malaise des masses, qu'en désignant des progressistes ils opposeraient une digue à la diffusion des thèses néonazies.

Tout cela me revient comme si c'était hier. La place, près de mon oreiller, est vide. L'appartement ne retentit plus de controverses homériques. Laure se claquemure dans sa chambre, je couche sur le papier ma confession, qui ne vaut pas un clou, car je tourne autour du pot, au lieu de m'attaquer à l'essentiel : par quel ensorcellement Ulma retenait-elle Van captif ? Était-ce parce qu'elle était sa demi-sœur et qu'un amour incestueux donnait du sel à sa vie ? Il découvrait que son père avait eu une fille, née hors mariage. Et cette beauté fatale le sortait d'une longue indolence. Il marchait au radar et ne se laissait guider que par des réflexes conditionnés. Il paraissait usé, il travaillait avec une lenteur de tortue, il allait à reculons aux déjeuners que nous offrait mon père, il ne lisait plus beaucoup, il avait perdu le sommeil, de telle sorte qu'il se bourrait de somnifères et n'était pas frais et dispos le matin, il vivait sur les nerfs, lessivé et de méchante humeur, il filait tous les après-midi au cinéma, après avoir bâclé ses corrections, il se disqualifiait pendant les cocktails des maisons d'édition en calomniant leurs auteurs, il en avait après moi, qui le brusquais, après Laure, qui avait presque partout des notes à peine passables, après tout le monde, parce qu'il était mécontent de lui.

Il lui fallait du nouveau, quand notre vie conjugale n'engendrait que du déjà-vu. Il lui fallait de l'insolite, qui l'aurait régénéré. La lettre d'Ulma, coup de tonnerre dans un ciel apparemment serein, le contraignait à sortir de sa coquille. Rencontrer sa demi-sœur au bout de trente ans en France où il avait tiré un rideau sur son enfance au Vietnam, n'était pas sans retentissement sur son psychisme. Il entrait dans une zone de hautes turbulences, mais lui chez qui l'élan vital s'était endormi, trouvait dans le scénario d'une idylle avec Ulma un puissant stimulant. Si j'en crois les mails qu'il avait reçus d'elle, elle était tout l'opposé de moi, ni gourmande de gages de dévotion, ni exigeante envers lui. Elle l'acceptait tel qu'il était et ne cherchait pas à le changer, tandis que j'avais une propension à le vouloir différent. C'était avec Ulma qu'il s'embarquait pour Cythère, ce qu'il y avait de transgressif dans leur amour les grisait. Van n'attendait qu'un coup de théâtre pour ne plus être seulement ce quadragénaire lassé de tout. L'était-il ? Il aurait continué à m'être fidèle à sa façon, c'est-à-dire en ne se permettant que quelques fredaines, entractes vite refermés. Nous aurions continué à vivre côte à côte, il n'aurait vu aucun mal à accoster les jolies mômes, puisqu'il ne me trahissait pas, même en pensée, et qu'il s'octroyait juste une détente.

Tout avait pris une autre tournure à cause d'Ulma. Van lui vouait une adoration qu'il n'avait jamais eue pour moi, même au temps des beaux commencements. Il l'aimait comme un adolescent qui, sous l'influence d'Éros, réenchante tout. Je ne comptais plus, ou bien je n'étais qu'un obstacle à leur symbiose. S'il avait eu une amante, une de ces brunes incendiaires, cela ne m'aurait pas tourné les sangs. Mais là il s'agissait d'une sœur dont il ignorait jusqu'alors l'existence, et qui était pour lui ce que l'hugolienne Dea est pour Gwynplaine. : l'amour absolu.

Tous deux orphelins d'un père qui les avait délaissés, ils déterraient des choses enfouies au fond de la mémoire, manière de se rapprocher. Les imaginer ensemble m'était insupportable. Van ne m'avait rien dit sur la lettre d'Ulma, comme s'il était le détenteur d'un document top secret, et il taisait tout ce qui touchait à elle. Ils s'aimaient en fraude, avec frénésie. Ils s'étaient plu tout de suite, il était tombé sous le joug d'Ulma. Sa fragilité et sa douceur étaient un philtre pour lui, qui devait me trouver trop despotique. Elle tenait de la fée Morgane, elle en avait la noire séduction. Je m'en étais avisée à l'enterrement de Van. Elle semblait venir d'une autre planète, elle avait un regard scrutateur, mais dès qu'on se tournait vers elle, elle prenait l'expression d'une personne peu abordable. Dans ses mails, Van l'appelait son *Albertine*. Elle n'était plus une jeune fille en fleur, mais elle avait un charme vénéneux. Les attachés de presse présents au cimetière avaient l'air intrigués par elle. Laure l'examinait en affectant la plus grande indifférence. Hugues ne cessait de la fixer. Rachid, seul, ne la dévisageait pas. Van, dans son cercueil, devait être bien déconcerté devant ce tableau : nous tous, autour de la fascinante Ulma, sans qui il serait encore en vie.

Pourquoi l'avais-je conviée à la cérémonie ? Peut-être parce que je voulais la voir en chair et en os, moi qui ne l'avais vue qu'en photo, ou parce que je voulais faire plaisir à Van qui, comme disait Laure, n'aurait pas reposé en paix si je n'avais rassemblé au bord de sa tombe tous ses proches et, la dernière année, Ulma avait été pour lui plus qu'une intime. J'essayais de me réhabiliter, j'essayais de ne pas déchoir de mon rang en étant mesquine. Il était trop tard pour se repentir d'avoir perdu toute maîtrise de soi. Je n'avais pas le moins du monde prémédité de renverser Van, j'avais appuyé sur l'accélérateur dans un moment où j'étais en plein brouillard intérieur. La silhouette de Van se profilait au loin. Je n'étais même pas certaine que ce soit lui. Je n'étais plus sûre de rien, j'avais la gorge serrée, un voile devant les yeux, je n'aurais pas dû boire, l'alcool ne me réussissait pas, mais il me fallait un remontant, je ne traînassais jamais dehors à une heure aussi tardive. J'ai eu un tel choc en voyant la photo de Van et d'Ulma au Luxembourg, assis près de la statue de Laure de Noves, là même où, vingt ans auparavant, il m'avait donné le premier baiser. Il aurait pu, par égard pour moi, ne pas l'emmener dans ce parc. C'était *notre* jardin, *notre* lieu de promenade lorsque nous étions comme l'ombre et le corps. Je ne pesais pas lourd, par rapport à elle, qui était une redoutable Calypso, capable de lui faire tout oublier. J'aurais eu moins mal s'il avait noué une liaison avec une de ces nymphes qui lui auraient tourné la tête. Il se serait vite aperçu qu'elles étaient très quelconques. Mais les demi-sœurs métisses, un peu ténébreuses, ça ne courait pas les rues. À côté d'Ulma, j'étais transparente, je n'étais pas de celles qui se torturaient, j'extériorisais tout, mes colères, mes exultations, mes aversions. Je n'aurais pas cru que, motus et bouche cousue, j'en viendrais à faire suivre mon mari durant des mois, pour le prendre en faute. Presque six mois de filature, des rapports circonstanciés, des dizaines de photos. Mais je faisais celle qui n'était au courant de rien. Certes, je dormais parfois sur le canapé-lit du salon, je ne disais plus un mot à Van pendant des jours, je laissais deviner que j'étais tout près d'exploser. J'avais une petite mine, malgré mes capsules de magnésium. Je négligeais le ménage, je ne cuisinais plus, je me couchais de plus en plus tôt, quand il était chez Ulma, je gardais la chambre, le nez dans un polar, mais j'étais dans un tel bouillonnement intérieur que je me perdais dans les méandres du récit. Quand il allait à des réceptions, je ne l'accompagnais plus, pour ce que j'en retirais, cela ne valait pas le déplacement.

Laure se doutait bien qu'il y avait un conflit larvé, sans en connaître la cause. Van et moi nous n'avions une vraie discussion que lorsqu'elle rentrait à pas d'heure ou qu'elle était dans les choux après avoir raté ses examens trimestriels. J'étais moins une épouse, indulgente, qu'une mère qui ne voulait pas cabrer sa fille contre son père, mais était si en rogne qu'elle divorcerait. Je n'étais pas un kleenex, qu'on prend et qu'on jette. Si Laure ne m'avait pas dit que mon mariage avec Van, ce devait être pour toujours, je ne me serais pas privée de vider mon sac et de lui poser un ultimatum… Quel ultimatum ? Ou Ulma ou moi ? Il me faudrait alors avouer que j'avais chargé un détective de le pister, et c'était trop peu glorieux pour que j'en fasse état. Il n'était pas défendu de passer ses soirées avec sa sœur. Sans les preuves que j'avais de leurs liens plus étroits qu'il n'était de mise entre un frère et sa cadette, si troublante, j'aurais présumé que je m'exagérais l'intensité de leurs transports amoureux. Auprès d'elle, il épuisait toutes les jouissances, lui qui avait mené à mes côtés une vie bien rangée. Il ne faisait plus qu'un avec elle, tandis que lui et moi n'étions pas toujours à l'unisson.

Je ne pouvais souffrir qu'il me mente, qu'il ne tienne aucun compte de nos vingt ans de vie commune, comme si *pfft !* ce n'était qu'un hors-d'œuvre qui ne le rassasiait pas, et qu'il avait d'autres appétits. L'apparition inopinée d'Ulma avait eu un effet néfaste sur moi, si sensée d'ordinaire. Mon esprit, comme une boussole folle n'indiquant plus la bonne direction, partait dans tous les sens et me dictait des envies de meurtre. Comment avais-je fait, pendant des mois, pour décacheter les lettres d'Ulma, les lire, recoller l'enveloppe après et les remettre à Van en feignant l'innocence ? C'était lamentable, mais en faisant appel à un détective, j'avais déjà franchi une certaine limite.

Ma mère dirait que, si je l'avais écoutée, je n'aurais pas été au centre de cette désastreuse affaire, j'aurais eu un mari vieille France et des blondinets très comme il faut. Mais mes profs, des têtes d'œuf, m'avaient endoctrinée jusqu'à ce que je ne sois plus qu'une tiers-mondiste, et que je me détermine à partager la vie d'un réfugié... Mon père ne l'avait pas instruite de ce qui s'était passé, il était venu à l'enterrement de Van en prétextant une visite de Versailles. Il avait eu un tressaillement en voyant que mes cheveux avaient blanchi en quelques nuits. J'en avais pris un coup. Devant la fosse où Van allait être inhumé, j'avais la sensation que mes jambes fléchissaient, que j'allais m'évanouir. Je m'étais quand même reprise. Seul un tic nerveux au coin des lèvres était le signe que j'étais sur le point d'éclater en sanglots. La pluie qui tombait dru rendait tout encore plus lugubre. Laure était ruisselante de larmes, elle mordait le mouchoir que je lui avais tendu pour refouler ses hoquets. Hugues, d'une voix monocorde, se faisait l'apologiste de Van, l'assistance était recueillie, les collègues de Van, après m'avoir exprimé leurs condoléances, arboraient une mine de circonstance, Ulma tâtait son livre relié en cuir brun qu'elle serrait sous son bras, comme si elle hésitait à nous en lire des passages, mais Laure l'avait devancée, elle brandissait l'anthologie de Reverdy.

Personne n'avait l'air de me considérer comme une criminelle. On s'émouvait au spectacle que Laure et moi nous offrions, une mère et sa fille endeuillées. Même Rachid, que j'avais appelé après la mort de Van pour crier que c'était un accident, semblait me mettre hors de cause. Il m'avait rassurée et m'avait donné les coordonnées de maître Dieuleveult. Hugues et lui, bien qu'atterrés, m'avaient adjurée de dompter mes craintes. Je devais penser à Laure, entretenir en elle la piété envers son père, en tronquant certains détails pas bons à dire, comme son inclination à inventer des fables lorsque j'exigeais des comptes sur les après-midi où il chassait la sylphide. Mais Laure n'était plus une fillette, elle n'avait pas les yeux dans sa poche, j'avais beau lui cacher la vérité, elle n'avait qu'à nous observer, Van et moi, pour être édifiée. Notre mariage ne battait que d'une aile. Avant même qu'Ulma ne nous divise, nous nous lancions des répliques d'une grande âcreté. Van était toujours le premier à hisser le drapeau blanc, je ne l'absolvais que de mauvais gré. Ainsi, tant bien que mal, nous avions instauré un semblant d'harmonie pour que Laure s'épanouisse pleinement. Vingt ans, ce n'était pas rien, et pourtant, ces vingt années avaient été balayées une fois qu'Ulma s'était manifestée.

Et maintenant, Van gît sous terre, Laure n'a plus de père, je fais le bilan de ces deux décennies... Tout était donc fini, bien fini ? N'y avait-il aucun moyen de ramener Van à la vie ?

Laure

Tommy, qui n'écoute que du folk gothique, m'a enregistré *Magic Arrow* de Timber Timbre. Je me passe et me repasse le morceau depuis ce matin. Je me suis levée pour me faire un café et des toasts. Lou était encore dans sa chambre. Il n'y avait pas un bruit dans l'appartement. Je suis restée un long moment à la fenêtre de la cuisine, les yeux rivés sur l'immeuble d'en face. Des ouvriers y ont dressé un échafaudage pour un ravalement qui prendra des mois. Les bâches flottent au vent, les tubes métalliques n'ont pas l'air bien fixés, et si ça s'écroulait ? Un locataire recevrait sur la tête tout cet amas de ferraille... Le mugissement d'une sirène d'une voiture de pompiers m'a fait sursauter. J'ai du pain sur la planche et je lambine, je range mes CD par ordre alphabétique, je nettoie mon ordi, je cherche sur Google des proverbes bibliques, qui ne me serviront jamais, à moins que je n'exhibe ma science devant Tommy, pas du tout client de ces dictons. Il m'a envoyé dix SMS, des blagues trash qui me changent de ses blagues Carambar. Lui aussi a peu dormi. Il s'est fait éjecter d'une boîte hier, parce qu'il était en plein trip et qu'il s'est mis à se déshabiller au milieu de la piste de danse. Un travelo l'a imité.

J'aurais voulu voir ça. Sacré Tommy ! Van aurait dit qu'il est irrécupérable. Il a d'ailleurs été chassé de son foyer d'accueil, mais il s'est vite trouvé une piaule à la Goutte d'Or. C'est un trou à rats, la douche et les W.-C. sont sur le palier, il n'a pas de chauffage, il a dû s'acheter un radiateur qui fait sauter les plombs quand il l'allume. Pourtant il y est plus que bien : pas de parents qui lui font la leçon, pas de travailleurs sociaux qui le fliquent, pas de frères et sœurs qui lui pompent l'air, pas même de copains qui lui piquent ses sous. Si ça lui chante d'aller au plumard à trois heures de l'après-midi, pendant que les autres s'épuisent à l'usine, il ne se refuse pas une bonne sieste, surtout qu'il sort toutes les nuits. Si ça lui chante de claquer beaucoup pour une petite bêtise, comme un poster dédicacé d'un groupe dont il est fan, il ne se tâte pas longtemps, il se le paye, quitte à mettre en pièces le poster quand il ne peut plus le voir. Il m'a encore mailé des poèmes d'Arthur Cravan, le boxeur disparu en mer : *Quelle âme se disputera mon corps ? / J'entends la musique : / Serai-je entraîné ? / J'aime tellement la danse / Et les folies physiques / Que je sens avec évidence / Que, si j'avais été jeune fille, / J'eusse mal tourné.* Pour Tommy, c'est un représentant de la contre-culture. Cravan aurait été charmeur de serpents, bûcheron, cambrioleur, cueilleur d'oranges. Il prévenait : *Qu'il vienne celui qui se dit semblable à moi que je lui crache à la gueule.* Est-ce que Van l'a lu ? Il plaçait très haut les provocateurs, et Cravan, scandaleux, excentrique, en était un de la plus belle eau.

Tout me ramène à Van. Il est le pivot autour duquel tout gravite. Quand quelqu'un meurt, les survivants ont tendance à lui tresser des couronnes, je n'ai pas donné là-dedans, je n'ai pas fait de Van un portrait flatteur. Il avait ses petits côtés, et il ne s'était pas arrangé au fil du temps. Il se fichait en boule à la plus légère contradiction, il partait du principe qu'il avait toujours raison, que j'étais une sale gosse, que Lou n'était pas assez sévère avec moi. En plus, j'ai comme copain un dealer multirécidiviste. Il s'est fait coincer plusieurs fois. Il a échappé à la prison, il n'a écopé que de travaux d'intérêt général, mais il est d'une « incorrigible voyouterie », disait Van. Il disait encore que Tommy m'esbroufe en alignant des noms de peintres déjantés et de poètes barjos. C'est vrai, ça me bluffe. J'apprends des choses qu'au lycée on ne m'apprend pas. Ce qu'on me fait ingurgiter m'assomme. Je ne retiens pratiquement rien, il faut dire que je freine des quatre fers. Van me filait des bouquins, je ne les ouvrais même pas. Il me prê-tait *Wozzeck*, d'Alban Berg, je préférais *Blood Money* de Tom Waits. Il me traînait à des expos, je res-tais trente secondes devant chaque toile. Je ne prê-tais pas l'oreille quand il épiloguait sur les débuts du cinéma. Ça me faisait une belle jambe de savoir qui étaient les frères Lumière et Max Linder. Main-tenant, je n'entendrai plus Van disserter de ceci et de cela. Il parlait bien quand il s'échauffait, même Lou en était baba. Sans être un dictionnaire ambu-lant, il était incollable sur de nombreux chapitres. Entre Hugues et lui, c'était un concours d'érudi-tion. Ils citaient des présocratiques et des penseurs inconnus au bataillon. C'était un vrai feu d'artifice, jusqu'à ce que Lou crie : « N'en jetez plus ! » Alors, ils se marraient, ils revenaient à des sujets moins pointus, et un quart d'heure après ils embrayaient sur de nouveaux casse-tête. Quelle prise de chou ! J'en avais mal au crâne.

Van n'est plus là pour mettre de l'animation le soir. Lou et moi on s'enferme chacune dans sa chambre dès neuf heures. Elle ne desserre presque plus les dents, elle est dans son monde, quand elle en sort, elle a des gestes de somnambule, elle porte tout le temps le gilet que Van lui a offert l'année dernière, elle ne se maquille plus, elle devrait teindre ses cheveux, ils ont grisonné depuis quelques semaines, mais elle n'a pas le cœur à passer des heures à sa toilette. Elle marche de long en large toute la nuit. Au matin, elle a les yeux cernés, les lèvres blêmes, elle boit des litres de café pour se requinquer, sans être plus en train, elle prend du fer, de la vitamine B12, et toutes sortes de reconstituants, au point que je me demande si ce cocktail n'est pas détonant. Elle a toujours été soucieuse de sa santé, elle soigne ses rhumes par les plantes, elle est une inconditionnelle des médecines douces, tandis que Van avait un mode de vie malsain. Ça faisait qu'il avait de la tension, le foie déréglé, des laryngites à répétition. Et lorsqu'il était grippé, il ne comptait que sur les antibiotiques pour se remettre d'aplomb. Encore une broutille à inscrire dans la colonne des désaccords. Si ce n'était que ça ! Mais Lou aurait voulu que Van soit plus fleur bleue, qu'il la divinise presque. Elle me cachait ses flirts, vexants pour elle. Van n'était pas un homme à femmes. Quand il était jeune, il n'avait pas du tout l'air assuré, ce qui ne déplaisait pas à certaines. Il ne cherchait pas absolument à faire une touche, mais il ne pouvait pas s'empêcher de « conter fleurette ». Lou faisait semblant de ne pas s'en affecter, comme si elle le connaissait trop bien pour s'étonner de sa manière d'agir. Chaque fois qu'ils allaient ensemble à des dîners ou à des fêtes, elle en revenait toujours avec une tête de dix pieds de long : Van avait encore entrepris une des invitées, il jouait le grand jeu pendant trois quarts d'heure, il oubliait le lendemain la belle qu'il avait « poursuivie de ses assiduités », disait Lou, qui trouvait ça dur à digérer. Il n'y avait pas de quoi en faire toute une histoire. Van n'était pas un traître, j'en donnais ma main à couper.

Avec Ulma, c'était une autre musique. Elle lui procurait un frisson nouveau, elle lui rappelait le Vietnam. Il s'agaçait souvent quand on le questionnait sur ses origines. Il disait qu'il ne se sentait « ni vietnamien ni français, mais toujours dans une position ambiguë ». Il ne parlait plus sa langue maternelle depuis trente ans. Quand il était dans son pays déjà, il en savait plus sur l'Europe que sur l'Extrême-Orient. Ses lectures, sa cinéphilie, tout portait la marque de l'Occident. Il avait dans sa bibliothèque les poésies de Li Po, les romans de Kenzaburô Ôe, il allait voir les films d'Im Kwon-Taek et des cinéastes hongkongais, mais en général il se tournait moins vers l'Est que vers l'Ouest. En paraphrasant Frantz Fanon, il disait de lui : « Peau jaune, masque blanc. » Je crois qu'il brûlait ainsi les ponts. Il prenait ses distances par rapport à son père, très attaché à ses racines. Il répétait sans arrêt que lui, « déraciné, transplanté sur le sol français, n'était ni chair ni poisson ». Il était trop un addict de la littérature française, italienne, germanique, portugaise, pour ne pas avoir une tournure d'esprit d'Occidental. Il y avait un reste de vietnamité dans son européanisme, mais c'était si ténu que ça tendait à se diluer. Il n'avait jamais voulu faire de voyage au Vietnam, même ces dernières années, où les touristes se ruaient là-bas pour photographier les temples de Hanoï et se prélasser sur les plages.

Tommy me propose de passer chez lui, il a le DVD d'un film de Guy Maddin, un génie du Merveilleux, d'après lui. Mais j'ai promis à Lou de déjeuner avec elle, elle n'est sortie de sa chambre que pour toquer à ma porte et me dire qu'on n'ira pas à Fontaine-bleau, vu le temps, mais qu'on se fera un petit repas vers deux heures de l'après-midi. Elle avait une voix d'outre-tombe, elle n'a pas dû passer une bonne nuit. Mon grand-père est venu avant-hier, même à plus de quatre-vingts ans il se précipite chez nous dès que Lou l'appelle. Je la plains, sans trouver des paroles revi-gorantes. Au contraire, je suis pleurnicharde, certains soirs, je me coule contre elle et voilà les grandes eaux, je pleure, je pleure, parce que je m'attriste de m'être rebiffée contre Van, de ne pas l'avoir rendu fier de moi. Mon grand-père nous a emmenées dîner dans une brasserie. Lou n'a pris qu'une soupe à l'oignon, j'ai laissé la moitié de ma choucroute de la mer. Comme elle n'était pas bavarde, moi non plus, grand-père piapiatait. Lou n'était pas toute oreilles, je fai-sais des boulettes avec la mie de pain, la conversation languissait, je ne pétais pas le feu, Lou avait un abcès aux dents qui l'élançait, papy était à court d'astuces pour nous divertir. Il évitait de nommer Van, mais tous trois on ne pensait qu'à sa mort.

Mon grand-père est un brave homme, mais toute cette affaire, c'est de l'hébreu pour lui. Il aimait bien Van, tout en le trouvant souvent déroutant, il ne savait par quel bout le prendre, Van n'était pas toujours cool, parfois il déménageait, il se lançait dans des prophéties à la Nostradamus. J'hallucinais, Lou en restait tout interdite, grand-père riait d'un rire forcé. Quelques jours après, Van était de nouveau à l'aise dans ses baskets, et il plaisantait lui-même sur ses élucubrations.

Van était un curieux personnage, et je suis bien sa fille, aussi peu conventionnelle, aussi têtue. Je tiens de Lou par mon côté équilibré, mais de lui par mon penchant à tout remettre en cause, jusqu'à me remettre moi-même en cause et à ne rien faire de bon. À dix-sept ans je n'ai pas mené grand-chose à bien, je ne suis qu'une photographe amateur. Longtemps, j'ai crâné parce que j'avais une mère directrice d'école et un père très lettré. En plus, ils étaient ensemble depuis des siècles, alors que les parents des filles de ma classe avaient divorcé et ne s'entendaient pas sur le droit de garde. J'ai dit plus d'une fois à Lou que le couple qu'elle formait avec Van devait durer. Pour ça, il ne fallait pas qu'elle fasse monter la mayonnaise à chaque écart de Van. Elle m'a garanti qu'elle allait se contenir, modérer son langage, calmer leurs différends. Tout allait à peu près bien tant qu'il n'y avait pas Ulma, Lou prenait même parfois les choses placidement lorsque, tout confus, il s'embrouillait dans d'invraisemblables histoires après avoir passé la nuit dehors, dans des bars. Ils avaient même eu une seconde lune de miel deux ou trois ans plus tôt. Van disait à Lou que sans elle il serait perdu, qu'entre eux c'était pour la vie. Eux qui n'étaient plus partis qu'en Provence, et toujours avec moi, s'étaient offert de longs week-ends en amoureux, à Barcelone, à Dublin, à Bilbao. Ils en revenaient ravis et, pendant des jours, ils étaient pleins d'attentions l'un pour l'autre. Van sortait peu et rentrait tôt, souriant et détendu, Lou lui servait du foie gras poêlé accompagné d'un cru classé et le soir ils allaient tous les deux au cinéma. Le seul point noir, c'étaient mes bulletins scolaires, pas fameux, sauf en français et en arts plastiques. Van ne me secouait pas trop les puces. Il disait que je n'étais pas une quiche, mes profs ne savaient pas y faire avec moi, si seulement je le voulais bien, je dépasserais les meilleurs de ma classe.

Cette période sans nuage n'a pas duré longtemps. Des frictions sont réapparues, à cause de Lou, qui trouvait de nouveaux motifs de dispute, à cause de Van, qui n'y mettait plus du sien, à cause de moi, qui les renvoyais dos à dos pour ne faire que ce qui me bottait. *Mea maxima culpa !* Mais bagatelles que tout ça en comparaison des remous qu'a suscités la lettre d'Ulma. Elle avait retrouvé la trace de Van grâce au frère de leur père, avec qui il correspondait une ou deux fois l'an, mais cet oncle ne lui avait jamais dit qu'elle lui avait rendu visite. Il apprenait en même temps que son père était venu à Paris à la fin des années soixante, qu'il avait rencontré une Française, et qu'il n'avait pas reconnu Ulma. Autant il ne tarissait pas sur sa mère qui l'avait élevé toute seule, autant il faisait rarement allusion à son père, et plutôt avec une pointe d'amertume. Il était profondément blessé parce que ce père si hors série était parti pour le Nord-Vietnam peu après sa naissance, même si c'était pour une noble cause. Van n'avait jamais réussi à surmonter ce traumatisme. C'est pour ça qu'il faisait en sorte que je ne sois pas privée de sa présence et que Lou et lui recollent les morceaux quand il y avait de l'eau dans le gaz.

Mon grand-père paternel était un cerveau et un patriote à la limite du fanatisme. Comme les Chinois de l'ancien temps, il était l'ennemi déclaré des « diables étrangers ». Van, lui, était très ouvert à ce qui venait d'ailleurs. Il était d'une génération qui ne voyait plus dans les Français des spoliateurs, dans tous les Américains des envahisseurs. Sa mère l'avait poussé à se perfectionner en français, à se passionner pour ce qui se faisait à l'étranger et elle s'était démenée pour qu'il puisse quitter le Vietnam, après la chute de Saïgon. Il avait pour elle une grande vénération. Il disait qu'il lui devait tout, sa formation littéraire, sa vie à Paris, sa largeur de vues, que sans elle il n'aurait été rien, il aurait dû s'enrôler, se battre au Cambodge et serait tombé au front à la fleur de l'âge. Elle s'était entièrement dévouée à lui, jusqu'à ne pas se remarier et à l'envoyer en France, loin d'elle. La séparation avait été un choc, même si, à quinze ans, il était, comme il nous le racontait, à Lou et à moi, « transporté à la perspective de déambuler à travers les rues du Quartier latin ». Pendant ses premiers mois à Paris, il « s'était émerveillé d'être là », sous les marronniers du Luxembourg, à deux pas de la tour Montparnasse, dans le voisinage du Pont-Neuf. Il se baladait partout, de la butte Montmartre au parc Montsouris, du Trocadéro à Montreuil, de la Courneuve au bois de Boulogne… Il avait été à l'atelier de Gustave Moreau, à celui de Delacroix. Il était allé aussi sur la tombe de Nerval. Il avait cherché dans Paris la statue de Montaigne. Il écrivait à sa mère que tout l'exaltait, il ne lui manquait que de partager avec elle ses découvertes. Il avait bien eu quelque peine à s'adapter. Il était dépaysé, il se trouvait mal ficelé, pas aussi chic que les fils de bonne famille de son lycée, mais au bout de deux trimestres, comme il les surclassait lors des examens blancs, il reprenait confiance sans trop s'en glorifier dans ses lettres à sa mère. Il visait plus haut, il voulait sauter une classe pour entrer plus vite à la fac.

Sylvère, son tuteur, avait un appartement rue de Tournon, près de l'hôtel qui avait hébergé Joseph Roth pendant les années brunes. Van n'y avait qu'un cagibi sommairement réarrangé, où l'on avait juste pu caser un petit lit et un bureau. Mais il ne faisait pas le difficile. C'était déjà bien d'avoir un toit. De toute manière, quand il n'était pas en cours, il allait dans les musées, dans les salles obscures, ou à la bibliothèque Sainte-Geneviève, il y restait parfois jusqu'à dix heures du soir. Il ne rentrait que pour dormir, donc ce n'était pas si mal, ses six mètres carrés sans fenêtre. S'il n'y avait pas eu les jumeaux de son tuteur, tout aurait été mieux que bien. Ils étaient vaches avec lui, comme ses grands-cousins l'avaient été avec son père quand il avait dû leur demander l'hospitalité en échouant à Saïgon. Van n'était pas le domestique des jumeaux, mais ils l'injuriaient, ils lui disaient qu'il n'était qu'une sous-merde. Ils étaient d'autant plus fumasses que leur père le leur donnait en exemple, parce qu'il était le premier de sa classe. À vingt-six ans, ils vivaient toujours aux crochets de Sylvère et ils accusaient Van de leur voler leur pain, d'être un petit malin qui tablait sur leur père pour se faire une place au soleil. Van avait beau être blindé, il enrageait et se promettait de ne pas moisir chez eux : dès qu'il aurait son bac, tchao bye ! Il accepterait n'importe quel boulot pour n'avoir plus à dépendre de son tuteur. Et il a tenu parole. Il a mis les voiles à dix-sept ans, bien que Sylvère l'ait retenu.

Alors a commencé pour Van une époque de privations. Plus de ciné, plus d'expo, des spaghettis tous les jours, une piaule avec un matelas posé par terre. Il changeait souvent de job, sans être mieux payé. Il a même été démarcheur, chargé de placer des encyclopédies. Pendant ses cinq années à la fac, tout en bossant le soir et les fins de semaine dans des brasseries, il ne s'autorisait jamais de répit et forçait la cadence pour obtenir rapidement ses diplômes. Il avait un mental de coureur de fond. Peu importait s'il n'avait pas un centime, il « capitalisait des richesses spirituelles », me disait-il avec un sourire en coin. En hiver, assis à sa table, il devait s'emmitoufler dans plusieurs couvertures pour ne pas grelotter. Quand il y avait la canicule, le vasistas ne laissait pas pénétrer le moindre souffle d'air. Mais il en aurait fallu plus pour qu'il lâche pied.

Il s'est lié à ce moment-là avec Hugues et Rachid. Ils s'attablaient autour d'un plat de pâtes et discutaient jusqu'à trois heures du mat. Rachid lui prêtait des essais, Hugues le ravitaillait en cartouches de clopes. Rachid lui suggérait de s'affilier à un parti d'extrême gauche, Hugues de prendre la carte du PS. Mais ils parlaient surtout des livres : *Le Voleur* de Georges Darien, les Mémoires de Lacenaire, qui projetait de « frapper l'édifice social »... Je n'ai lu que Lacenaire, et j'ai trouvé que cet escroc et assas-

sin, sacré « héros de la vie moderne » par Baudelaire,
a une superbe plume.

Van ne nous disait pas, à Lou et à moi, si déjà en
ce temps-là il *courait le guilledou*, expression qui m'a
toujours fait penser à Buster Keaton et ses fiancées en
folie. Il avait sûrement une ou deux petites copines,
des historiennes ou des anglicistes, mais comme Lou
fronçait les sourcils dès qu'il était question de jupon,
il gardait tout ça pour lui. Elle était même jalouse
de la mère de Van. Elle aurait voulu être la seule
femme qu'il ait jamais aimée, elle aurait voulu qu'il
ne voie que par ses yeux, que, en dehors d'elle et
moi, personne d'autre n'existe pour lui. Elle était
d'une telle possessivité qu'elle se faisait du mal en
grossissant tout. Plus de vingt ans de mariage, c'est
un bail. Seulement voilà, Ulma a provoqué un tsu-
nami. Van était tout à coup jeté hors de ses repères.
Il n'avait même pas dit à Hugues et à Rachid ce
qui l'avait mis dans un état proche de la sidération.
Il en avait encore moins dit à Lou, mais elle avait
des antennes, et le pressentiment que cette fois-ci,
elle aurait une dangereuse rivale.

Ulma était-elle une dangereuse rivale ? Je ne crois
pas. Elle était venue à Van sans mauvaises intentions.
Lui-même ne prévoyait sans doute pas que, à près de
cinquante ans, il allait connaître un bouleversement.
C'était écrit : Van avait besoin de nouveauté, Ulma
était arrivée à point nommé pour lui apporter de
l'inédit. Une demi-sœur qui le tenait pour un autre
soi-même, quel pain bénit ! Au cimetière de Bobigny,
j'ai pu me rendre compte de la fascination qu'exerçait
Ulma. Elle dégageait, avec sa peau ambrée, sa min-
ceur de top, ses fringues stylées, sa frange noire qui

rehaussait l'éclat de ses yeux. Il paraît qu'elle est le portrait craché de son père, ça devait faire tout drôle à Van, qui avait dans ses tiroirs des photos de mon grand-père à trente ans. Il paraît aussi qu'elle a été avec un DJ très lancé, un astrophysicien très recherché, un essayiste qui publiait des sommes philosophiques, et un rappeur, ex-zonard. C'est dans le rapport de M. Grimaldi, qui est allé fouiller dans sa vie privée pour ne rien laisser de côté. Toujours d'après M. Grimaldi, elle n'a pas d'excellents rapports avec sa mère, qui vit encore dans le culte de mon grand-père, bien qu'elle n'ait eu avec lui qu'une aventure d'une semaine et que, de retour au Vietnam, il n'ait pas répondu à sa lettre lui annonçant la naissance de leur fille. Ulma a grandi auprès de sa grand-mère maternelle, elle a beaucoup souffert d'être une enfant illégitime, négligée par sa mère, à tel point qu'elle a failli perdre la boule et a été internée. Peut-être parce qu'elle est un peu désaxée, elle a un petit quelque chose de spécial, d'irréel. Ça devait être magique, les tête-à-tête que Van avait avec elle. Elle était certainement à l'écoute, pas comme Lou, qui interrompait Van dès qu'il se livrait : il s'observait trop. Elle avait certainement une haute opinion de lui, pas comme Lou qui avait souvent un ton gouailleur chaque fois qu'il disait qu'il n'était pas tout à fait un incapable. Elle l'approuvait certainement en tout, Lou, elle, avait le chic pour réfuter tous ses raisonnements. Elle lui redonnait certainement courage, tandis que Lou lui sapait parfois le moral en étant systématiquement négative. Et surtout elle était l'exotisme même. Elle avait un peu de sang vietnamien, un peu de sang turc par son arrière-grand-père, un peu de sang basque par sa grand-mère. Van, qui était partisan du brassage des peuples, ne pouvait qu'être dingue d'elle.

Ça me fait bizarre de me dire que j'ai tout un dossier sur Ulma, alors qu'elle ne sait rien à mon sujet. Rien ? Van avait bien dû lui parler de moi, qui ne le trouvais pas super, mais n'étais tout de même pas une mauvaise fille. Il avait bien dû lui parler de Lou, si peu accommodante parfois. Je ne crois pas qu'il nous ait arrangées, même lorsqu'il avait des raisons de grogner contre nous. Et puis, ils avaient mieux à faire. Ils avaient plein de choses à se confier. Lou et moi on comptait pour des cacahuètes. Van ne faisait même plus de charme aux stagiaires des maisons d'édition, il était tout à Ulma. Il ne lorgnait même plus les belles libraires, il ne regardait qu'elle. Il ne fallait pas être sorcier pour deviner qu'il était pincé.

Est-ce que c'est mal de tomber amoureux de sa demi-sœur ? De quel droit je me mettrais à condamner Van ? Il n'y pouvait rien. L'amour vous joue de drôles de tours. Il ne voulait pas tout gâcher, dépiter Lou sans rendre Ulma heureuse. Il était entre deux feux, il ne s'en sortirait pas par des échappatoires. Lou ne s'y était pas trompée, Ulma ne revendiquait pas la première place dans son cœur, il n'avait pas à lui répéter encore et encore que sa vie avait basculé depuis qu'elle y était entrée.

Je n'ai pas de boule de cristal pour lire dans le passé, et tout ça me semble bien compliqué. Allez, j'arrête, ce n'est pas bon pour moi, et Van désapprouverait que je passe ainsi au scanner sa love story. Je vais déjeuner avec Lou. Elle est au fond du trou.

Van

Ma mère est morte en tombant de vélo. Elle avait perdu l'équilibre et avait fait une chute qui lui fut fatale : sa tête était allée heurter violemment le bord du trottoir. Sa mort fut instantanée. C'était trois ans presque jour pour jour après mon départ du Vietnam. J'appris la nouvelle par le frère de mon père. Elle me fit le même effet que si j'avais été foudroyé. Je forgeais des plans où ma mère tenait une place primordiale, je me voyais déjà déposant une requête pour qu'elle puisse me rejoindre à Paris. Elle était encore jeune, et je me réjouissais tellement d'organiser nos retrouvailles, dès que j'aurais un emploi et un appartement. J'avais dix-huit ans, j'avais la certitude que, dans un futur proche, nous serions à nouveau réunis. Tous mes plans s'effondraient comme un château de cartes. Dépossédé de mon bien le plus précieux, l'amour d'une mère, j'étais aussi révolté que Job et j'aurais blasphémé contre l'implacable Démiurge si je n'avais eu la tête vide, tant la commotion m'avait brisé. Vers qui allais-je désormais me tourner quand j'aurais le bourdon ? Qui me louerait pour mes bons résultats ? Elle était morte seule, dans la rue, au milieu du flot de cyclistes. J'étais plus que sombre, je portais le deuil de mes espérances. Mes yeux restaient pourtant secs, je ne versais pas la moindre larme, c'était comme si j'avais une pierre à la place du cœur. Sans accepter l'inacceptable, je tendais toutes mes forces pour ne pas geindre ni m'attendrir sur moi-même. Cela n'aurait fait qu'exacerber ma douleur. Le meilleur hommage que je pouvais rendre à ma mère était d'être aussi stoïque qu'elle l'avait été quand mon père nous avait laissés là. Rien ne servait de me lamenter sur ce coup du sort, il fallait le corriger en m'aguerrissant, en persistant dans ma voie. Ma mère m'aurait blâmé de m'amollir parce que je ne l'avais plus pour me stimuler, de lâcher prise parce que j'avais été durement frappé. Mieux valait ne pas me laisser abattre, pour ne pas faire naufrage au port, après avoir vaincu d'innombrables difficultés.

La nuit, couché sur mon matelas posé à même le sol, je me reportais à l'époque où j'étais au Vietnam, sans trop me désoler d'être parti. Je n'aurais eu aucun avenir là-bas. En aurais-je un en France ? Je m'étais conformé aux souhaits de ma mère. Elle croyait que je serais plus dans mon élément en Europe. Je lui disais encore, six mois auparavant, que mon unique but était de la sortir du Vietnam, que je gagnerais suffisamment pour deux quand j'aurais terminé mes études. Nous vivrions en vase clos, unis quoi qu'il advienne. J'avais la conviction que le destin nous serait propice. Elle-même était confiante en son étoile et se disposait à s'expatrier. Nous n'avions pas eu la prescience du pire.

Elle avait été enterrée par le frère de mon père, qui m'envoya la dernière lettre qu'elle m'avait écrite, en français, et qu'elle avait sur elle. C'était une lettre de trois pages, calligraphiée, dans laquelle elle voulait s'assurer que je ne manquais pas de tout, que je m'en sortais sans mon tuteur, que bientôt elle aurait la satisfaction de me savoir lancé dans une carrière choisie après mûre réflexion. Elle n'était plus interprète, elle vendait des fruits et des légumes au marché. Les temps étaient à l'austérité, à cause de la guerre au Cambodge. Elle n'insistait toutefois pas sur la pénurie qui régnait même dans les grandes villes. Elle avait soin de toujours se montrer pleine d'ardeur afin que je ne me fasse pas de mauvais sang. Ses lettres m'avaient aidé à tenir ferme contre ce qui me déboussolait. Ses mots me touchaient au cœur. J'avais un sursaut de volonté chaque fois que je suivais ses exhortations. Sans elles, je n'aurais peut-être pas été aussi obstiné, car mes conditions de vie d'alors étaient telles que je me décourageais par moments. Je n'avais qu'à me représenter ma mère, seule à Saïgon, bataillant pour avoir de quoi subsister, et je me secouais. Je n'étais pas à plaindre, je ne devais pas me faire une montagne de mes embarras pécuniaires. Je vivais dans un pays libre, j'allais à la bibliothèque, j'avais à ma disposition tous les trésors de la littérature mondiale. J'avais bien croisé des crétins des Alpes qui me traitaient de *Chinetoque* dans la rue, j'avais bien senti chez quelques-uns un racisme plus ou moins sournois, mais globalement, la France m'avait fait plutôt bon accueil, elle ne paraissait pas encore usurper sa réputation d'être une terre d'asile, elle n'élisait pas encore des frontistes, la chasse aux clandestins ne battait pas encore son plein, le Taser n'était pas encore en usage.

Ma mère avait une certaine idée de ce que je deviendrais si je plaçais la barre assez haut. Il ne fallait pas que je la déçoive. Je ne lui disais pas que je ne serais ni un prof de fac ni un universitaire pâlissant sur l'exégèse de je ne sais quel monument de la modernité. Le métier de correcteur me tentait déjà. Peu avant la mort de ma mère, je lui avais fait part de mon désir d'entrer dans l'édition. Elle ne s'était pas élevée là contre, quoiqu'elle ait eu peur que je sois mal rémunéré. Mais je ne démordais pas de mon projet, et je lui soutenais que, quand bien même cela ne nourrirait pas son homme, c'était un beau métier, grâce à quoi je saisirais, chaque jour un peu mieux, toutes les fines nuances du français. Je n'étais qu'en première année de fac, les cours ne me semblaient pas assez instructifs, j'acquérais davantage de lumières en faisant des lectures buissonnières. Je dévorais tous les livres qui me tombaient sous la main, que ce soit des traités savants ou des scénarios édités çà et là, des œuvres oulipiennes ou *Le Festin nu*, des biographies ou des poésies frénétiques, des chansons de geste ou le Journal de Léautaud, des robinsonnades ou *Cahier d'un retour au pays natal* d'Aimé Césaire, des bluettes ou *Le Surmâle*, des essais sur la peinture ou des ouvrages sur le cinéma, des farces de Feydeau ou des pièces de Ionesco, des précis de grammaire ou *Ecce Homo*...

J'étais un habitant de l'ancienne Indochine venu à Paris sans autre bagage que son insatiable curiosité. Je n'avais pas de sentiment d'infériorité, je n'enviais pas les gosses de riches. Au tout début, oui, ma gaucherie sautait aux yeux. Je me gardais d'attirer l'attention, je n'avais pas d'amis au lycée où j'étais, je ne me mêlais pas aux groupes qui se formaient, je ne participais pas aux matchs de basket-ball qui mettaient les sportifs face à face, je ne parlais à personne sans faire le fier. Ma mère était navrée que je sois aussi sauvage, mais comme j'étais à la tête de ma classe et pas du tout sur la touche, elle ne m'engageait pas à être plus sociable. Je me retranchais dans un refus de la familiarité, surtout dès lors que j'étais en terre étrangère. Ce n'était pas parce que j'étais présomptueux, plutôt parce que j'étais ainsi fait que je n'allais pas volontiers vers les autres. Au Vietnam déjà, je ne me liais pas facilement, j'avais bien des camarades de jeux, mais aucun n'était pour moi comme Patrocle l'avait été pour Achille. L'émulation au collège m'amenait à leur disputer les félicitations des profs, à les regarder plus comme des concurrents que comme de petits gaillards avec qui cousiner. Je ne me la jouais pas, mais j'avais à cœur de me détacher du lot. Je ne me prenais pas pour un phénix, mais j'entrais hardiment en compétition avec les plus doués. Je ne m'isolais pas, mais j'étais assez solitaire. Ma mère ne l'était pas moins. Elle tenait nos voisins à distance, elle ne recevait pas ses rares connaissances à la maison, elle déclinait les invitations à dîner. Nous étions bien tous les deux, nous passions de longues soirées ensemble. Quand j'avais sept, huit ans, elle me faisait réciter mes leçons, nous cherchions dans le Larousse la signification de termes argotiques, nous chantions *À la claire fontaine, Meunier, tu dors, Sur le pont d'Avignon*. J'avais une flûte à bec qui produisait des sons dissonants quand j'y soufflais. D'une voix de mezzo-soprano, elle entonnait des airs de Massenet. En chœur, nous fredonnions *J'ai perdu mon Eurydice...* Elle avait l'oreille musicale, tandis que je peinais sur mes exercices de solfège, elle savait par cœur des passages de certains livrets d'opéra, tandis que je mélangeais les noms des compositeurs, elle avait le sens du rythme, je détonnais, je ne m'en égosillais pas moins. Je lui dois de n'être pas trop ignare en art lyrique, bien que, à l'adolescence, j'aie plutôt été un amateur de pop rock et de country, musiques bannies au lendemain de la victoire des nationalistes sur l'Oncle Sam. Je lui dois aussi de n'être pas trop en arrière quant à ce qui avait trait à l'impressionnisme, bien que, plus tard, le surréalisme m'ait davantage intéressé. Elle m'avait communiqué son attrait pour ce qui venait de loin. Grâce à cela, je n'avais pas ranci au fil des ans.

J'ai été un vieux crabe, mais j'avais l'esprit ouvert (quoi qu'en dise Laure, d'après qui j'avais plusieurs trains de retard). Je n'étais pas de mon temps, mais je ne regrettais pas le monde de jadis (quoi qu'en dise Lou, qui me trouvait passéiste). Je ne m'enflammais pas souvent, mais je n'étais pas un rabat-joie (quoi qu'en disent ma femme et ma fille, pour qui je manquais parfois d'humour). J'étais à la poursuite d'un idéal : n'être ni prosaïque ni chimérique, et je me suis maintenu dans cette espèce de balance, jusqu'à ce qu'Ulma fasse de moi un rêveur lunaire. J'étais romanesque, épris d'elle comme un qui n'aurait pas été chassé du vert paradis des amours enfantines.

Depuis la mort de ma mère, je n'avais jamais connu un aussi grand tumulte intérieur qu'en recevant la lettre d'Ulma. Elle n'était pas très longue, mais les révélations qu'elle contenait étaient explosives. Les dernières années, je n'avais plus pensé à mon père ni à ma ville natale, j'étais si bien intégré que je n'avais de l'Asiatique que l'apparence et de vietnamien que mon nom. Je n'étais pas un de ces exilés qui languissaient loin de leur patrie. *Ma demeure est hors du camp*, disait Benjamin Fondane qui, à des milliers de kilomètres de la Roumanie, avait adopté le français pour élaborer à Paris, au 6, rue Rollin, une œuvre impérissable. Moi non plus, je ne savais pas où était ma demeure. Je n'étais pas comme Antée, invincible dès que je touchais le sol de ma terre d'élection, je ne nouais pas de liens avec ceux qui venaient du même pays que moi. Ulma était pareillement dans un entre-deux qui rendait problématique tout acclimatement. Eurasienne descendant d'un immigré turc, elle était l'incarnation du métissage qui donnait des enfants splendides, mais parfois inadaptés.

Elle était d'autant moins sûre d'elle qu'elle avait une mère peu secourable, inconsciente de son entourage. Elle serait restée sur le carreau si elle n'avait eu ce qu'elle nommait des « transfusions de culture ». Les livres lui tenaient lieu d'euphorisants. Elle était, comme moi, une lectrice vorace. Ce n'était pas notre seul trait commun, nous avions tous deux un tenace ressentiment contre celui qui n'avait pas rempli son rôle de père. Le temps avait quelque peu cicatrisé cette vieille blessure chez moi, mais pas chez elle. Elle gardait de l'aigreur à l'égard de l'amant de sa mère, assez désinvolte pour la mettre enceinte et s'en laver les mains. Dans sa lettre, elle n'avait pas épanché son fiel, elle ne disait rien qui puisse me faire bondir, juste que, pendant des années, elle avait presque renoncé à m'écrire, tant elle avait scrupule à franchir le pas. Qu'est-ce qui l'avait poussée en fin de compte à me révéler que j'étais son demi-frère ? La décision n'allait pas de soi. Elle ne l'avait prise qu'après mille délibérations.

Elle était d'une telle délicatesse que jamais elle ne se serait imposée si elle n'était arrivée à un point limite où elle ne pouvait plus se débattre contre son incapacité à rayer d'un trait de plume tout ce qui se rapportait à sa naissance. Elle avait tenté de mettre fin à ses jours, elle avait été une pensionnaire des maisons de santé, elle n'était cependant pas une de ces fofolles d'humeur vagabonde, elle jugeait sainement des choses. Elle ne cherchait pas en moi une réplique du père qu'elle n'avait pas connu. Elle savait que moi non plus, je ne l'avais guère connu. Autrement, elle ne savait presque rien de moi, si ce n'est que j'avais dû m'exiler à quinze ans et que je n'étais jamais retourné au pays. Le frère de mon père lui avait seulement dit que je m'étais marié, que je ne semblais pas être une de ces personnes déplacées mal insérées dans la société française.

Elle ne m'avait pas écrit pour se répandre en plaintes, comme une jeune femme peu retenue, en plein délire de revendication. Elle ne réclamait pas que je la dédommage des peines qu'elle avait eues, ce serait déjà beaucoup si elle pouvait clarifier sa part d'ombre en ne se tourmentant plus pour les questions de filiation. Je n'avais pas une vue précise des ravages causés par les déséquilibres psychiques. Ulma n'était pas tout à fait jetée, mais sa raison chancelait, et ses séjours dans les cliniques psychiatriques ne lui avaient pas été bénéfiques.

Nous aurions pu n'être, elle et moi, qu'un frère et une sœur qui rattrapaient le temps perdu en ne se dissimulant pas quoi que ce soit. Nous aurions pu n'être que deux grands enfants se projetant l'un sur l'autre, soudés par un amour mystique. Mais ma

passion pour elle n'avait rien d'éthéré. Tout en elle
suscitait chez moi une fièvre des sens. Elle était à
croquer avec ses yeux noirs, sa bouche vermeille, sa
peau satinée, ses cheveux enserrant sa tête comme
un casque, ses mains aux ongles nacrés, ses jambes
bien galbées. Elle avait une voix un peu voilée, un
maintien jamais étudié. À notre premier rendez-vous,
un jour d'été où la lumière était éclatante, elle portait une robe bustier gris perle, qui lui allait à ravir.
On n'aurait pas dit, à la voir, qu'elle était passée par
des moments dépressifs, elle avait un je-ne-sais-quoi
d'aérien, d'énigmatique, qui la rendait encore plus
captivante. J'étais dans une telle agitation que j'en
restais muet de saisissement. Je finis par bafouiller
quelques stupidités, en ayant l'impression d'être une
vraie nouille. Nous étions à la terrasse d'un café de
la place Sainte-Catherine. Elle avait avec elle *Jours
de silence* d'Henri Michaux, où il salue ses *compa-
gnons de musiques intérieures ou encore à venir.* Je me
demandais quels étaient les siens, et s'ils lui étaient
d'un grand secours lorsqu'elle faiblissait. Elle ne semblait pas alors être au milieu du gué. Je lui avais
ôté un poids en répondant aussitôt à sa lettre. Elle
avait l'appréhension que ses révélations ne restent
lettre morte : je n'en avais peut-être que faire. Elle
aurait compris si je l'avais repoussée, me disait-elle.
C'était choquant de sa part de s'ingérer dans ma
vie. Elle s'en excusait en chuchotant. Elle mettait
tant de grâce à le faire que, aurais-je été prévenu
contre elle, je me serais immédiatement ravisé. Elle
n'était pas en quête d'une oreille compatissante où
se déverser, estimant qu'elle avait déjà tout expliqué
dans sa lettre et que la balle était dans mon camp.

C'était à moi de décider si nous allions entretenir des liens d'amitié ou nous en tenir là, nous dire au revoir sans plus nous soucier l'un de l'autre.

Il émanait d'elle une puissance d'attraction. J'étais comme aimanté par sa radicale singularité. Son milieu professionnel, celui aussi des mannequins, ne l'avait pas déformée. Elle n'était ni suffisante ni faussement humble, mais naturelle, avec juste ce qu'il fallait de réserve pour me tenir en suspens. Elle me rappelait ma mère. Elle avait les mêmes traits réguliers, le même tact, la même façon de s'exprimer. Elle n'y allait pas par quatre chemins sans avoir le ton coupant d'une princesse certaine d'être dans son bon droit. Elle avait un air vague, comme si elle avait la tête ailleurs et qu'elle allait me fausser compagnie, me laissant à mes perplexités. Nous ne parlions pas de celui à cause de qui nous étions venus au monde, nous ne parlions que peu du Vietnam, qu'elle avait à peine visité, et dont je ne gardais que des images floues. Nous ne parlions pas non plus de Lou ni de Laure, quoique le frère de mon père lui ait dit que j'avais une famille. Nous évoquions nos lectures, symptomatiques de notre soif d'horizons illimités. Je ne soufflais mot de ma grandissante inappétence intellectuelle. Je ne voulais pas qu'elle me croie désabusé. Un événement avait modifié le cours des choses. À moi d'être à la hauteur des circonstances. Le serais-je ? Je m'étais installé, à tous égards, dans un confort affadissant. Lou n'y était pour rien, elle avait fait ce qu'elle pouvait pour que nous réinventions l'amour conjugal, mais l'habitude avait tout banalisé. Nous avions été victimes de l'érosion de notre aptitude à innover, nous nous étions enlisés dans une vie sans éclaircie, avec des fins de mois difficiles et de sempiternelles escarmouches au sujet de Laure. Nous avions bien eu des retours de flamme, mais si fugaces que nous retombions vite en une nouvelle morosité. Pour ne rien arranger, je n'étais pas indifférent aux brunes graciles. Je n'étais pas un chaud lapin, comme elle disait, mais les émois passagers me faisaient frémir de plaisir. Et je ne le boudais pas, ce plaisir innocent, à mes yeux du moins, car pour Lou, c'était un péché mortel.

Comme tout cela s'avérait insignifiant en cet après-midi où j'avais Ulma en face de moi. La chaleur colorait ses joues, elle n'en était que plus belle, de cette beauté classique que le temps n'altère pas. Après la première demi-heure, où je m'étais emberlificoté dans de confuses niaiseries, j'avais rassemblé mes esprits, j'étais moins contracté. Je frisais la cinquantaine, l'âge des bilans, et je me sentais en déficit. Il me manquait… Quoi ? Jusqu'à l'avant-veille, j'aurais été bien en peine de le dire. Mais oui, il me manquait une Ulma pour me forcer à fendre l'armure, pour m'éveiller à l'amour fou. Autant j'avais aimé Lou bien qu'elle et moi, ce soit le jour et la nuit, autant avec Ulma je me plaisais à penser que nous nous complétions. Nous avions ceci en commun : elle cherchait un frère, je cherchais une sœur, non pas parce que nous étions nés d'un même père, mais parce qu'au fond de nous, nous étions des étrangers, j'ignorais quel pays était le mien, elle avait plusieurs identités, dont aucune n'était un point d'appui. Tous deux dans une situation équivoque, nous n'en menions pas large, sans en avoir pris conscience avant ce jour d'août où nous ouvrions l'écluse aux confidences.

Lou m'avait préservé du poison de l'*ethnocentrisme,*

terme mis à la mode par les journaux. Je m'abstenais de toute généralisation hâtive à propos des différentes nations. Je n'étais pas un collégien qui avait une foi de charbonnier en l'embrassade universelle, dont se gaussait Julien Benda. Je faisais en sorte de ne pas avoir de parti pris, sans être un Candide ni un bien-pensant. *Liberté, égalité, fraternité ?* La France glissait vers un ostracisme des réfugiés, qui se traduisait par un plébiscite des mesures visant à les refouler à la frontière. Je n'étais pas de ceux qui pâtissaient le plus de l'intolérance. Mais les signes précurseurs d'une exclusion des rastas étaient bien là. Moi qui avais un passeport français et, pour ce qui était du vietnamien, ne baragouinais plus que quelques mots, j'étais comme un transfuge, ni neutre ni partial, ne marchant sous aucune bannière. Je restais rétif à toute imprégnation. Quelque chose en moi se cabrait contre la morale normative, j'avais le don d'être indéfinissable, de ne pas me laisser réduire à n'être qu'un Jaune parisianisé. L'avais-je exploité, ce don ? Auprès de Lou, je n'avais pas viré au Monsieur Tout-le-Monde, jaloux d'être dans la norme. J'avais conservé la faculté de sortir des sentiers battus, ma science livresque m'avait permis de ne pas avoir de vision simplificatrice de mes prochains, j'aspirais à être, comme le disait Hugues à mon enterrement, un citoyen de l'univers, pour qui l'exil était un tremplin.

Serais-je parti du Vietnam si des changements politiques ne s'étaient pas produits ? À douze ans déjà, je ne rêvais que d'aller en France, pays de Gavroche. Mais je m'y voyais avec ma mère, tous deux furetant dans les librairies, flânant le long de l'allée des

Cygnes, prenant les bateaux-mouches, allant contempler *Le Baiser* de Rodin, manger des cuisses de grenouilles dans un bistrot avec des tables aux nappes à carreaux rouges et blancs, tous deux parcourant l'Hexagone à la recherche de sites classés, de villages écartés, de bords de mer peu fréquentés... Je n'avais rien eu de tout cela. Ma mère m'avait été ravie au moment où j'étais certain d'obtenir bientôt les papiers nécessaires à son émigration.

En cette minute où je conversais avec Ulma, transférant à sa personne ma ferveur envers ma mère, mon pouls s'accélérait, mon cœur cognait, je ne me ressemblais plus. Qui aurait dit qu'à près de cinquante ans j'agirais comme un petit garçon désireux de ne pas se montrer à son désavantage ? Que je serais sous le coup d'une cristallisation ? Nous n'en étions qu'au premier acte, le rideau se levait sur d'anodins échanges, où je déployais toutes mes ressources langagières pour qu'Ulma ne me mésestime pas, où je m'efforçais de ne pas trahir mon trouble, mais j'avais peine à me maîtriser. Ce que je ressentais était si imprédictible, si déstabilisant que je palpitais moitié de joie moitié d'angoisse. Un vieil air me trottait dans la tête : *Il y a longtemps que je t'aime...* Non que les vingt années avec Lou ne comptent plus, j'étais toujours un mari et un père, mais je découvrais que j'avais moi aussi un envers, une part d'ombre. Ulma était, comme moi, double, une partie d'elle avait ses amarres, quand l'autre flottait à la dérive, une partie d'elle était à peu près au diapason, quand l'autre ne pouvait s'harmoniser avec rien. Elle était entre l'Asie et l'Europe, ni vraiment d'ici, puisque tournée vers l'ailleurs, ni vraiment d'ailleurs, puisque née en France. Sa mère était complètement française, bien qu'elle ait eu un grand-père débarqué d'Antalya pour travailler dans le bâtiment, avant d'épouser une Strasbourgeoise et de se fixer définitivement à Paris. Ulma elle-même n'avait jamais cherché à en savoir plus sur cet aïeul. La Turquie était pourtant une terre moins lointaine que le Vietnam. Mais c'était comme si celui qui avait dénié la paternité de sa fille pesait d'un poids plus lourd que tout le reste.

Elle n'avait vu du pays de son père que Saïgon et la ville où il avait grandi, dans le delta du Mékong. Elle n'était demeurée que trois jours dans la capitale du Sud, le temps de s'y sentir bien étrangère. Les employés de l'hôtel où elle logeait la regardaient comme une bête curieuse, parce qu'elle n'avait ni l'air d'une touriste lambda, avec appareil photo et guide Lonely Planet, se renseignant sur les circuits des voyagistes, les restaurants qui servaient de la soupe aux bulots, les pagodes valant le détour, les boutiques vendant des bracelets de jade, ni d'une femme d'affaires venue négocier des contrats avec un entrepreneur de l'import-export. Elle n'avait aucun de ces signes extérieurs de richesse qu'affichaient parfois les enfants prodigues de retour chez eux, et elle était encore trop jeune pour être une femme d'affaires tirant parti de la perestroïka vietnamienne. Elle n'avait fait que marcher à travers les avenues, sous un soleil ardent. Qu'est-ce qui l'avait amenée là ? Elle n'aurait su le dire. Elle avait obéi à une impulsion en prenant un aller-retour pour Saïgon. Mais, sur place, elle était toute désorientée, la grouillante agglomération lui paraissait gigantesque. Malgré le *Renou-*

veau mis en avant, une propagande agressive s'étalait partout dans les rues où elle se perdait. Cela n'était pas sans lui rappeler que son père avait contribué à l'établissement de ce régime du parti unique. L'économie de marché qui commençait à fleurir laissait de nombreux Saïgonnais dans l'indigence, un fossé se creusait entre ceux qui s'enrichissaient rapidement et ceux qui vivaient d'expédients et s'enfonçaient dans la misère. Ulma n'avait pas envie de faire du tourisme, elle n'était pas là pour courir à droite et à gauche, se baladant en cyclo-pousse, captant des images pittoresques, achetant de la soie, allant au Palais de la Réunification, dans les quelques boîtes qui venaient d'ouvrir. Elle aurait jugé de mauvais goût de s'offrir tout ce qu'elle voulait quand des gamins dormaient sur le trottoir.

Comme son père, elle ne trouvait à Saïgon aucun agrément. Polluée, bruyante, d'une architecture plutôt laide, elle n'avait que l'avantage d'être le poumon économique du Vietnam. Elle se relevait des années d'un communisme asphyxiant, une partie de l'élite avait fui, lui avait succédé une classe de spéculateurs qui avaient des accointances parmi les dirigeants et étaient de vrais vautours. Le réalisme politique avait eu raison de la bataille idéologique. Si les Vietnamiens tenaient à suivre le modèle chinois, ils devaient faire litière des grands principes de l'Oncle Hô, qui n'était plus que ce vieillard à barbiche dont la photo ornait les billets de banque. La nouvelle génération était américanophile et non russophile. S'il n'y avait la traque des dissidents, on se serait presque cru dans une démocratie libérale, revitalisée et concurrençant les quatre dragons de l'Asie.

La maison où mes parents avaient habité, de même que les maisons voisines, avait été démolie, sur le terrain s'élevait un magasin d'alimentation, au dire du frère de mon père. Il ne restait rien de mon enfance. C'est pourquoi je n'avais jamais franchi les mers pour fouler le sol natal. Après la mort de ma mère, le Vietnam n'était plus pour moi le pays où j'avais des attaches, j'avais fait ma vie en France, je m'étais assimilé, mais je gardais une forte individualité, même si j'étais un amalgame de fermeté et d'indétermination et que mes tergiversations et mes entêtements mettaient Lou en rage. Je n'avais toutefois pas balancé longtemps quand la lettre d'Ulma m'avait dévoilé son secret. Ce n'était pas parce que je me proposais d'être son consolateur. Qui étais-je d'ailleurs pour me proposer de l'être ? Souvent en déroute, je n'avais pas le sens commun, je n'avais pas une haute idée de moi et, sans Lou, j'aurais peut-être été un raté, un homme de trop, en tout cas un de ces célibataires endurcis qui ont plusieurs amantes et n'en aiment aucune. Je ne m'étais pas amélioré en me mariant, je recherchais toujours la compagnie de belles inconnues, lorsqu'elles ne semblaient pas mal disposées envers moi. « Chassez le naturel, il revient au galop », disait Lou, pour qui j'étais incurable. Cela avait donné lieu à des éclats, mais je ne me guérissais pas de mes travers. Il avait fallu qu'Ulma surgisse sur ma route pour que mes erreurs passées m'apparaissent telles. Je m'arrogeais le droit de faire des incartades pour tromper le temps, voilà tout. Ce n'était pas joli joli. J'atteignais l'âge où ces diversions n'étaient plus de saison. Je risquais de finir en vieux barbon bavant d'admiration devant des jeunettes.

Ulma ne me connaissait pas sous ce jour, j'évitais donc de jouer les Don Juan, et de toute manière j'étais dans un tel éréthisme que je perdais tous mes moyens. Je n'avais pas la loquacité des baratineurs. Chaque fois que je faisais un doigt de cour à une femme, je tâchais de ne pas être *relou*, comme dirait Laure, quoique Lou me trouve au contraire très pressant. Malgré mes mauvais penchants, elle me tolérait, tout en me répétant qu'il y avait des limites à tout.

Ce n'était la faute de personne si le film eut un dénouement dramatique. Je ne faisais pas le procès de Lou. Elle ne se possédait plus lorsque son détective l'avait informée de mes entrevues avec Ulma. À sa place, j'aurais été tout aussi chamboulé, pour ne pas dire plus. Je ne comprenais que trop son acte de folie. Je ne devais m'en prendre qu'à moi-même. Si j'avais joué cartes sur table, elle ne se serait pas abaissée jusqu'à me faire espionner, elle ne se serait pas laissé emporter par la jalousie. Et elle avait raison d'être jalouse. Les sentiments qui me liaient à Ulma étaient sans commune mesure avec l'affection que j'avais conçue pour elle. Elle était avant tout la mère de Laure, et celle à qui j'avais juré, un peu légèrement, qu'entre nous, c'était à la vie, à la mort. Ces serments n'avaient pas plus de consistance qu'une bulle de savon. Et il avait suffi d'une lettre pour les rendre dérisoires. Mon retournement n'échappait pas à la perspicacité de Lou qui, bien avant de recourir aux services d'un détective, savait que j'avais fait une brèche à mes engagements envers elle. C'était la première cassure sérieuse dans notre union. Jusque-là, je n'avais jamais vraiment cédé aux tentations. Les femmes-objets me laissaient de glace, je n'abordais

que les égarées, qui n'aguichaient pas et s'empour-
praient au premier mot doux. Les autres, les dia-
blesses qui me faisaient des avances, se heurtaient à
des résistances chez moi.

Et Ulma ? Elle avait tout pour me retenir, elle
n'essayait pas de me magnétiser, et pourtant, elle exerçait d'emblée sur moi une véritable domination. Elle
ne s'enveloppait pas de mystère pour me soumettre,
et pourtant, j'étais comme le jouet d'un enchante-
ment. Le jour déclinait, nous étions restés plus de cinq
heures ensemble, je buvais ses paroles, bien qu'elle
n'ait pas été d'une grande volubilité. Je la quittai à
regret, non sans lui avoir arraché la promesse qu'elle
consentirait à reprendre un café avec moi. En rentrant à la maison, j'étais si peu dans mon état nor-
mal que Lou me croyait mal fichu, elle ne se doutait
pas encore que j'avais été terriblement ébranlé, que
j'avais eu un coup de foudre pour ma demi-sœur.
Ulma faisait battre mon cœur, elle m'ouvrait de nouvelles perspectives. Je ne considérais pas mon mariage
avec Lou comme nul et non avenu, je ne me fichais
pas de ce qu'elle pouvait éprouver si elle avait vent
de mon infidélité, mais je n'avais qu'une pensée en
tête : revoir Ulma, me rendre indispensable auprès
d'elle. J'avais plus besoin d'elle qu'elle de moi. Elle
s'était libérée d'un fardeau en me postant sa lettre,
tandis que je me réveillais d'une somnolence qui
m'avait castré. La secousse était brutale, je me disais
que je ne sortirais pas indemne de cette aventure,
je m'y jetais néanmoins, avec le fol espoir que Lou
n'en viendrait pas à éventer la tromperie...

Ulma

J'ai attendu presque vingt ans avant d'écrire à Van. Justine m'avait enjointe de ne pas le faire. Selon elle, je ne devais pas me monter la tête. Van, qui portait le nom de son père, se moquerait pas mal de savoir qu'il avait une sœur, née d'une liaison qui n'avait duré qu'une semaine. Quelle douche ce serait s'il me rabrouait ! Je ferais mieux de l'écouter, elle parlait d'or, elle m'empêcherait de m'humilier en étalant au grand jour ma bâtardise, de me ridiculiser en demandant à Van une grâce : ne pas m'envoyer valser. Du reste, qu'aurais-je à lui dire ? Que j'étais du même sang que lui, mais que mon père n'avait pas répondu à la lettre l'avertissant de ma naissance ? Que j'étais un peu piquée ? Que sans vous, docteur Sullivan, j'aurais été bonne à enfermer ?

Justine n'avait déjà pas vu d'un bon œil mon voyage au Vietnam et ma visite au frère de mon père. Elle m'avait dit cent fois de ne pas ressortir une histoire vieille de deux décennies. À quoi cela m'avancerait-il d'enquêter sur un mort ? Si mon demi-frère était comme son père, j'essuierais une rebuffade en voulant nouer des relations épistolaires avec lui. On n'entrait pas dans la vie des gens comme ça !

J'étais une indiscrète, j'en serais cruellement puni. À supposer même que je ne me prenne pas un râteau, que Van accepte de me rencontrer, il avait sûrement une femme, je lui porterais ombrage. Je serais tout aussi punie de mon indiscrétion, je passerais pour une aventurière, je serais la cause d'une mésentente.

J'entendais les objections de Justine, même si elles étaient à l'emporte-pièce. Ma lettre ferait l'effet d'une bombe, je ne serais qu'un personnage encombrant, porteur de stupéfiantes nouvelles. Van serait-il stupéfié ? Ou simplement embarrassé ? Se sentirait-il contraint de jouer la comédie en me témoignant de l'intérêt ? Ou ne serais-je pour lui qu'une affabulatrice aux déclarations sujettes à caution ? Rien ne prouvait que je sois bien sa demi-sœur. Le serais-je que mon initiative semblerait quand même intempestive, c'était pour le moins déplacé d'arriver ainsi chez autrui, par le truchement d'une lettre qui jetterait le désordre. Durant des années, j'avais rédigé au brouillon une de ces épîtres d'un style contourné où je veillais à ne pas rebuter Van en disant crûment les choses. Je me posais une multitude de questions le concernant. Maudissait-il son père parce qu'il l'avait sacrifié à son engagement politique ? Ou le révérait-il parce qu'il était un soldat de l'anti-impérialisme ? Lui attribuait-il une certaine responsabilité, en tant que cadre du Parti, dans la constitution d'un État totalitaire ? Ou lui trouvait-il des justifications, puisqu'il était mort avant la mise en place d'un pouvoir aux lois répressives et que peut-être il n'aurait pas été complice de ce régime d'oppression ? Van était-il un immigré qui vivait mal son exil ? Pour lui qui venait des anciennes colonies, le français était-il un *butin de guerre*, comme disait Kateb Yacine, ou une langue qu'il maniait si parfaitement qu'elle s'était substituée au vietnamien, passé par pertes et profits ? S'était-il européanisé ou avait-il gardé des traits typiques de l'Asiatique ? Avait-il épousé une Parisienne ou une exilée comme lui ? D'après le frère de mon père, il coulait des jours plutôt paisibles dans le quartier de Belleville. Raison de plus pour ne pas troubler sa tranquillité. Je n'aurais jamais eu l'audace de l'importuner si je n'avais dû tout élucider pour ne plus demeurer dans une incertitude qui engendrait une délétère mélancolie. Justine, pourtant, m'avait crié gare : j'allais au-devant d'une amère déconvenue. Je ne serais qu'une mendieuse d'amour. Il y avait gros à parier que je n'en aurais que des miettes.

C'était dit sur un ton tranchant, je ne pouvais lui opposer que je n'y mettrais aucun calcul, n'exigerais rien de Van. Quel bien, me répétait-elle, cela me ferait-il de le solliciter ? Je n'en saurais pas plus sur mon père, ou j'apprendrais qu'il rougissait d'avoir en France une fille cachée. Je ne gagnerais pas le cœur de mon demi-frère, mais serais tenue pour une enquiquineuse (et c'était un euphémisme, ajoutait-elle avec un ricanement).

Justine n'était pas d'humeur conciliante parce que cela n'allait plus entre Fred et elle. Après vingt-deux mois de cohabitation dans l'appartement de la rue Rouvet, ils en étaient venus à se chicaner sans cesse. Elle, qui avait arrêté la fumette, repiquait au truc, me disait-elle, pour avoir du fun, car ce n'était pas avec Fred, l'adepte de la gonflette et le pantouflard, qu'elle en aurait. Qu'il se défoule donc dans ses clubs de remise en forme, mais qu'il la laisse à ses joints ! Elle en avait plus qu'assez de faire les courses, la popote et la vaisselle. Elle craquerait si elle ne se donnait pas de l'air. Elle avait cru un moment qu'elle n'étoufferait pas en s'assagissant. Et maintenant, elle se disait tous les jours qu'elle n'était pas faite pour cette vie petite-bourgeoise. Elle avait la nostalgie de sa jeunesse, de la période hippie. Comme c'était fantastique, cette époque de la contestation, du LSD, de la libération sexuelle ! Dans sa tête, elle était restée à l'âge où elle vivait de l'air du temps, mais avait une foule d'amis, où certains soirs elle n'avait rien à manger, mais planait tellement qu'elle n'avait même pas faim. Il ne se passait pas une semaine sans qu'il y ait une party chez les uns ou chez les autres, ses copains cultivaient dans un coin de leur gourbi du cannabis, elle testait toutes sortes de drogues, elle aimait Andy Warhol, les Velvet Underground, *Chelsea Girl* de Nico, *Messe pour le temps présent* de Pierre Henry, *L'Herbe du diable et la Petite Fumée* de Castaneda. Il était encore possible d'espérer changer le monde, faire chanter les lendemains, de se persuader qu'on ne serait pas piégé par la société de consommation, qu'on ne perdrait pas son âme et qu'on ne s'arrangerait pas d'une petite vie pépère. Elle avait toujours été anticonformiste, elle avait toujours eu en abomination les cadres rigides qu'on lui imposait, elle se serait coupé un bras plutôt que d'être un mouton de Panurge. Elle se distinguait des bécasses qui passaient leur temps à faire du lèche-vitrines, des grandes oies qui ne s'occupaient pas de politique. Elle n'avait pas eu à faire des années de fac pour être une subtile observatrice du genre humain et des jeux de pou-

voir. Elle en aurait à dire sur les éléphants des différents partis, sur ses semblables, même sur Lily, qui
n'avait rien d'extraordinaire et n'était somme toute
qu'une mamie comme il en existe partout, respec-
table et respectueuse de l'ordre naturel des choses,
pas du tout portée à se rebeller, même si elle votait
rouge, pas du tout dans le coup, même s'il fut un
temps où elle ne manquait aucun des spectacles les
plus courus, pas du tout pénétrante, même si elle
se vantait d'avoir du jugement, ennuyeuse avec sa
moraline, en retard sur les idées de 68, alors qu'elle
essayait d'être moderne, gaga de sa petite-fille, alors
qu'elle n'avait pas été une mère bienveillante.

« Quand j'étais gosse, elle me faisait tout le temps
sentir que j'étais nulle », soupirait Justine. Elle ne voulait pas dénigrer une morte, mais c'était une catharsis
que de dire ce qu'elle avait sur le cœur. Que je ne la
prenne pas pour une langue de vipère ! Si je savais
combien Lily était peu affectueuse avec elle ! Toute
son enfance, elle n'avait eu que des réprimandes :
elle était la dernière de la classe, elle rentrait tard
de l'école, elle se tenait mal à table, elle écorchait
le français, elle était fâchée avec l'orthographe, elle
cassait ses jouets, elle dormait trop le dimanche au
lieu de faire ses devoirs, elle volait de la menue mon-
naie pour se payer des bonbons, elle n'était pas soi-
gneuse, elle salissait vite ses vêtements, elle mangeait
comme un porc, elle n'aidait jamais à la maison, elle
était bordélique, fainéante, elle ne lavait même pas
ses chaussettes, elle ronchonnait quand il fallait aller
chercher du lait, elle ne lisait que des BD, elle était
inculte en géo, elle était encore plus inculte en histoire, Austerlitz n'était pour elle qu'une station de

métro, elle n'avait que des zéros en récitation, elle était si bouchée qu'elle ne retenait pas les alexandrins, elle avait tout juste la moyenne en maths, et elle trouvait que c'était bien suffisant, elle roulait les épaules, parce qu'elle n'était pas mauvaise en dessin, elle s'abrutissait à regarder à la télé des feuilletons ineptes, elle répliquait dès qu'on lui disait deux mots, elle était au bord de l'épilepsie quand on ne la laissait pas faire ce qu'elle voulait, elle était déjà à onze ans une calamité, etc., etc.

Tout cela parce qu'elle était Justine et non Justin, parce que ses parents auraient été plus contents d'avoir un fils. Les bonnes fées ne s'étaient pas penchées sur son berceau. Son père ne l'avait pas choyée, Lily n'était pas avec elle comme avec moi. Elle lui marchandait chaque emplette, elle ne lui achetait que de la camelote, elle l'habillait à moindres frais, si bien qu'elle avait l'air d'une Cosette. Lily n'était pas une Thénardier, mais elle la privait de presque tout, sous prétexte qu'elle était gênée, que son métier de costumière ne lui rapportait pas gros et que la vie n'était pas un jardin de roses. Elle, Justine, contrairement à moi, avait été à dure école, jamais de fêtes d'anniversaire, à Noël des cadeaux minables, après la dinde qu'elle avait eu du mal à avaler, tant le réveillon était morne. Pendant son adolescence, c'était encore pire. Lily la traitait avec rigueur, pour qu'elle ne croie pas que tout lui était dû. Elle n'avait pas d'argent de poche, elle allait à pied au lycée, qui était quand même à quelques bornes de l'appartement, elle portait un manteau râpé, des jupes défraîchies, des chaussures démodées, elle avait un vieux sac si troué qu'elle perdait ses crayons, elle n'avait pas pu prendre des cours de violon comme certaines de ses camarades, parce que, selon Lily, elle n'avait aucune prédisposition pour la musique, elle n'avait pas pu non plus s'exercer au fusain, parce que Lily doutait de ses talents de dessinatrice. Elle n'allait jamais en classe verte, parce que Lily ne déboursait pas un sou pour qu'elle s'ébatte à la campagne. Les grandes vacances, elle les passait rue Rouvet, vautrée sur son lit pliant, qui était dans le salon, car elle n'avait même pas une chambre à elle. Elle faisait une toilette de chat et retournait aussitôt sous les draps, elle jouait au solitaire, elle grignotait des chips, elle mettait la radio à fond la caisse, elle lisait dans les magazines les potins sur les nouvelles vedettes, elle ne touchait pas à ses manuels scolaires, elle se vernissait les ongles et se maquillait les yeux, elle fouillait dans le frigo une fois que Lily était partie et elle vidait un pot entier de Nutella, elle assaisonnait ses cornichons de béchamel, elle se faisait des tartines aux rillettes, des saucisses grillées, elle se remplissait la panse tant que Lily n'était pas là, car autrement, elle boudait contre son ventre. C'était déjà la guéguerre entre elles. Lily n'avait pas manqué de noter que les provisions disparaissaient. Donc, elle ne prenait plus la peine de cuisiner. Non seulement elle me laissait me nourrir de restes, mais elle criait contre moi, disait Justine qui, des années après, était toujours comme une petite Cendrillon mal aimée.

Voilà pourquoi, disait-elle encore, elle avait tellement hâte de quitter sa mère. À quatorze ans déjà, elle piaffait d'impatience : si elle avait de quoi louer une thurne, même en banlieue, elle s'en irait tout de suite. Elle ne dormait plus souvent chez Lily, elle avait des amis qui voulaient bien partager avec elle leur couche, ils fumaient des joints et veillaient pour lire Ginsberg en écoutant Janis Joplin, c'était bien plus amusant que d'être dans une salle de classe. Elle n'était pas une liseuse de poésie, mais elle connaissait un certain Pierrick qui avait toute la production de la Beat Generation, il l'affranchissait, il lui faisait des cours sur le cut-up... Comme cette période-là l'avait marquée ! Elle n'avait plus revécu cela depuis. C'était dur de vieillir, on perdait ses amis, certains n'étaient plus que des ronds-de-cuir, d'autres reniaient ce qu'ils avaient mis au-dessus de tout. Ils se rangeaient des voitures et ne pensaient qu'à leur pomme. Jusqu'à ce qu'elle se marie avec Fred, il n'y avait qu'elle qui restait baba cool, mais elle aussi avait changé, elle aussi, désormais, ne pensait qu'à elle. D'autant plus que Fred était un vrai gosse et qu'elle devait le mater-ner. Quand elle revoyait ses ex, elle les trouvait vieux avant l'âge, à quarante ans ils étaient déjà comme des pépés, prudents, près de leurs sous, tuants. Elle au moins n'était pas ainsi, elle avait gardé une jeunesse d'esprit que n'avait aucun d'entre eux. Hélas ! Avec Fred, elle avait démordu de ses prétentions. Quoi ? C'était tout ce qu'elle pouvait avoir ? Jamais rien de surprenant, de palpitant ? Jamais de toilette chic, d'exquis dîners dans des restaurants trois étoiles, de voyages à l'autre bout de la planète, de séjours dans des palaces, de balades en gondole à Venise ? Jamais même un peu d'argent pour le superflu ? Non qu'elle se figure que si Fred avait un meilleur salaire, elle serait plus heureuse, mais dans un monde où le fric était roi, elle voudrait bien récolter quelques avan-tages, elle voudrait bien, maintenant qu'elle n'avait

plus vingt ans, être mieux considérée, sans appartenir à la classe moyenne, car elle n'était pas comme
toutes ces petites bourgeoises, bonnes cuisinières et
mères lapines. Elle avait dit et redit à Fred qu'elle
ne serait pas à ses ordres, que c'était elle qui lui dictait la conduite à tenir. Il n'était qu'un grand dadais,
il ne voyait pas plus loin que le bout de son nez,
sans elle, il aurait été encore le locataire du misérable deux pièces de Montrouge, il n'aurait pas eu
un livret d'épargne, il n'aurait été qu'un paysan, jeté
de partout, elle lui avait appris les manières d'un
monsieur, elle n'avait jusqu'alors eu affaire qu'à des
têtes pensantes, leur savoir ne leur était pas d'une
grande utilité, mais au moins ils ne sortaient pas du
peuple, elle n'avait rien contre les prolétaires, bien
au contraire, elle en était peut-être une elle-même,
seulement, elle n'avait pas des façons rustiques.

Fred ne la suivait pas parfois, il lui répondait
qu'elle le faisait braire avec ses « fais pas ci, fais pas
ça », qu'il était comme il était et qu'à trente-six ans
il n'allait pas jouer les gamins obéissants. Qu'elle le
dispense donc de ses réflexions ! Elle était lassante à
force. Il se fichait bien d'être un monsieur. Il était
né dans une famille, celle de son père surtout, où
l'on était primitif et fier de l'être. Elle qui avait été
une marginale, maintenant donnait des leçons de
bienséance, comme s'il n'en avait pas déjà eu avec sa
mère qui, elle aussi, était devenue tracassière. Mais
turlututu ! Il était sourd à leurs remontrances. Il avait
à sa gauche une femme qui cherchait à le civiliser,
à sa droite une mère qui était toujours derrière lui.
Ce n'était pas une vie ! Mais non, non, trois fois
non ! Il ne porterait pas les jupes !

Plus les mois passaient, moins Fred était une pâte molle. Justine et lui s'accusaient mutuellement de ne faire aucun compromis pour que tout se passe bien. Elle flemmardait toute la journée, elle avait revendu des meubles achetés lors de leur emménagement rue Rouvet, elle rognait sur ce qui était normalement destiné au ménage pour se procurer de la coke. Elle en avait bien le droit, disait-elle, puisqu'elle avait aliéné sa liberté, que Fred n'était pas fichu de l'emmener en boîte, et qu'elle trouvait le temps long quand il était au *Casablanca*. Mais se faire une ligne toute seule, ce n'était pas comme autrefois, lorsqu'elle était environnée d'amis, tous plus farfelus les uns que les autres. Elle n'en regrettait que davantage les années où elle avait plusieurs amants à la fois, où, sans aucune obligation, sans personne pour la mettre au pas, elle se laissait vivre. Elle n'était pas encore enceinte, elle avait déguerpi de chez elle, satisfaite de ne plus avoir Lily sur le dos. Elle avait quinze ans et des raisons d'avoir confiance en l'avenir. Elle avait tout pour plaire, elle n'était ni mal faite ni sotte, elle avait l'esprit d'à-propos et un vernis de science, elle connaissait son Kama-sutra, mais n'avait pas la cuisse légère, elle ne demandait pas à être adulée, il lui suffisait d'avoir trois ou quatre jeunes gens autour d'elle, prêts à la distraire et à l'accueillir dans leur lit. Elle ne restait jamais très longtemps en compagnie des mêmes, au bout de quelques semaines déjà ils n'avaient plus rien pour eux, ils lui cassaient les pieds, même les philosophes de service. Elle partait avec d'autres, qui étaient de dix ans ses aînés et se disaient situationnistes, elle les écoutait avidement, ce qu'ils professaient était tout nouveau, tout beau.

Mais très vite, ils lui sortaient aussi par les yeux. Après qu'elle m'avait eue, elle avait commencé à attendre le grand amour, elle en avait eu un avant-goût avec mon père, le premier homme qui ait fait vibrer son petit cœur d'adolescente, car elle l'était plus que jamais à dix-huit ans, elle avait une prodigieuse envie de tout expérimenter, d'être éblouie et de se consacrer à quelqu'un. Elle ne rêvait pas mariage, elle était trop libre pour cela, mais elle aurait dit oui à un beau prince, s'il lui avait promis qu'ils feraient un bout de chemin ensemble. À cela près qu'il n'y avait pas eu de conte de fées. Pourtant, elle ne manquait pas d'atouts, elle n'était pas de ces poupées qui n'avaient que le paraître, elle avait de la profondeur, une grande finesse de goût, et c'était tout à sa louange, martelait-elle, car Lily ne lui avait rien enseigné.

Mon père lui disait qu'elle n'était pas comme les Parisiennes telles qu'il se les imaginait. Elle était d'une simplicité engageante, d'une drôlerie réjouissante, elle avait du répondant, sans jamais se montrer vacharde. Elle n'avait aucun de ces préjugés des Français moyens. Elle n'était ni populacière ni chichiteuse, elle ne jouait pas les vierges effarouchées ni les femmes libérées. Elle avait l'idéalisme de qui plaçait ses espoirs dans le Grand Soir, mais elle ne gobait pas n'importe quoi. Elle avait trouvé en mon père une personnification de ses idéaux, il se battait pour que son peuple dispose de lui-même, il croyait à la Révolution mondiale, au triomphe de l'humanisme. En ces années-là, elle y croyait elle aussi, avant que la vie n'apporte des démentis à tous ses dogmes. Avec l'âge était venue la saison des désappointements.

Elle n'était plus cette jeune fille pleine de naïveté, certaine que tout lui sourirait. Elle n'avait eu que des revers de fortune. Après pareilles mésaventures, on ne faisait plus rien pour la beauté du geste, on s'aigrissait quand on se comparait aux autres, plus chanceux, on ne savait plus vers qui se tourner, parce que c'était la défection générale parmi ses amis. Mon père aurait été bien peiné de cela, lui qui l'aimait tant pour sa grandeur d'âme. Mais pourquoi ne lui avait-il jamais refait signe ? Était-ce parce qu'elle lui avait avoué qu'elle était enceinte de lui ? Elle avait perdu une occasion de se taire. Mais bien avant qu'elle ne commette cette bêtise, il ne lui avait pas envoyé une ligne, ne serait-ce que pour lui annoncer que c'était fini entre eux, qu'il avait au Vietnam une femme, un fils, et qu'il n'avait pas vraiment été amoureux d'elle. Elle en aurait pris son parti, sans effacer de sa mémoire l'inoubliable semaine où elle l'avait guidé à travers Paris, où il avait été si caressant, mais franc avec elle : il ne pouvait s'attacher à personne, il avait même déserté le domicile conjugal pour combattre sous les drapeaux de Hô Chi Minh. Il ne lui avait pas dit qu'il avait un fils, qu'il n'avait pas vu grandir. Et il avait fallu que moi, la fille qu'il n'avait pas reconnue, je rouvre la plaie en voulant éclaircir une affaire qui remontait au déluge. Mon demi-frère ne me raconterait rien qui soit un remède à mes maux. Même s'il n'était pas tendre avec son père, cela ne me ferait aucun bien. Nous ne serions que deux médisants en train de gémir sur la démission d'un homme qui avait fait passer la lutte pour l'indépendance de son pays avant le bonheur de sa famille.

Van, s'il portait un amour démesuré à sa mère, s'offenserait peut-être quand il découvrirait que son père avait eu un coup de cœur pour une Française, alors qu'il n'avait plus donné signe de vie à sa femme. À ses yeux je ne vaudrais rien, puisque j'étais une enfant naturelle. J'aurais mieux fait de ne pas aller au Vietnam, de ne pas questionner mon oncle sur un père qui aurait pu être un héros de la nation s'il n'était pas mort avant la débandade des Américains. Il avait mis toute sa vaillance au service d'une cause, même si c'était aux dépens de ses proches. Je devrais m'enorgueillir d'être sa fille. Je devrais laisser les morts en paix, au lieu de me tourner continuellement vers le passé. Mais ce qu'elle me disait entrait par une oreille et sortait par l'autre. C'était pour elle une histoire enterrée, et ne voilà-t-il pas que j'exhumais de vieux souvenirs ! Je n'éclaircirais rien du tout, mais n'y gagnerais que des désagréments, car je serais dans une position inférieure, Van me ferait payer chèrement ce que je lui demanderais. J'avais beau répéter à Justine que j'étais seulement curieuse de connaître mon demi-frère, elle me rétorquait que ce ne serait pas réciproque, qu'il n'avait pas de temps à perdre avec moi. Même elle était fatiguée de tout cela ! Ne pouvais-je lui épargner ces sujets de conversation, qui ne menaient nulle part et ne faisaient que l'affliger ? Comme si elle n'avait pas déjà assez d'ennuis ! Son couple se désagrégeait, Fred n'était pas le mari de ses rêves, elle ne le trouvait plus à son goût, mais elle se rasait lorsqu'il n'était pas là, elle ne savait que faire de ses journées, alors elle se remettait à fumer du shit, elle se ruinait chez les dealers, elle avait retiré de l'argent

du livret d'épargne qu'ils avaient, Fred et elle, il ne
restait presque plus rien de leurs économies.

Quand Fred rentrait, il s'affalait sur le lit et
s'endormait aussitôt en ronflant. Il ne se levait que
pour bâfrer en faisant des bruits incongrus. Il avait
un sacré coup de fourchette, tandis qu'elle ne mangeait que du bout des dents, cela lui coupait l'appétit de le voir bâfrer. Elle n'avait plus en face d'elle
l'entreprenant Fred qui lui apportait des bouquets
de fleurs, mais un lourdaud dont toute l'éducation
était à refaire. Elle se retenait pour ne pas le mori-
géner comme une mère qui dirait à son idiot de
fils : « Qu'est-ce que je vais faire de toi ? » Heureusement qu'elle avait ses joints, sinon elle se serait
déchaînée, et rien ne l'aurait arrêtée ! Elle n'était pas
tyrannique, mais trop, c'était trop, il se laissait aller,
il ne revenait à la maison que pour se fourrer au lit
ou déjeuner en n'ayant sur lui qu'un caleçon et un
débardeur. Elle ne voulait pas d'un compagnon de
cette sorte, qui ne se mettait pas en frais et disait
des cochonneries en riant comme un bossu. Tout
allait de mal en pis. Peut-être qu'il vaudrait mieux
être seule que mal accompagnée, mais elle n'était
pas faite non plus pour la vie en solo, il lui fallait quelqu'un avec qui échanger trois mots, même
pour parler de la pluie et du beau temps, quelqu'un
contre qui se blottir la nuit, mais quelqu'un qui ne
soit ni collant ni aquoiboniste, ni vulgaire ni pincé.
À son grand désespoir, Fred avait fini par représenter tout ce qu'elle avait en horreur. Elle se surpre-
nait à penser à Phil. Ils avaient eu de mémorables
flashs ensemble. Il se croyait un peu, elle n'était
pour lui qu'un en-cas, et pourtant, le courant passait

entre eux, ils aimaient les mêmes disques, les mêmes digests sur la spiritualité, ils avaient la même répulsion pour le « métro, boulot, dodo ». Phil était un partisan du moindre effort, il touchait son chômage et ne cherchait pas de travail, parce que, disait-il, il ne voulait pas être un rouage parmi d'autres rouages. Il n'était pas comme Fred, bien discipliné et intimidé par ses chefs. Avec lui, elle ne se serait peut-être pas encroûtée dans une existence médiocre, où elle n'était qu'une bobonne, aux petits soins pour un mari qui était un robinet d'eau tiède, ne faisait rien au quotidien pour qu'elle soit sur un petit nuage, n'était ni une bête de sexe ni un homme galant, ni une flèche ni un joyeux compère. Eh oui ! Voilà où elle en était ! À quarante ans elle n'avait toujours pas un compagnon digne d'elle. Ses vœux ne s'étaient pas réalisés. Pas de beau prince, pas de train de vie somptueux, mais toujours des larmes versées sur sa jeunesse enfuie. Et je venais encore la tarabuster pour qu'elle me dise comment c'était avec mon père ! Il n'y avait rien à en dire. Ni elle ni lui ne souhaitait évidemment qu'elle tombe enceinte. Elle ne m'aurait pas gardée si Lily ne l'avait convaincue de ne pas se débarrasser de moi en lui promettant un chèque et en lui assurant qu'elle tiendrait auprès de moi le rôle d'une mère. Je n'étais pas une enfant désirée, plutôt un bébé qui avait vu le jour alors qu'elle n'avait pas l'instinct maternel, et qu'elle aurait tout donné pour être libre comme l'air. Elle avait alors deux amants, et sa grossesse était un tue-l'amour. Elle avait un gros ventre, des yeux bouffis, aucune robe ne lui allait. Elle était à faire peur. Elle avait passé neuf mois à courir après les uns et les autres. L'accouchement était pour elle une délivrance : enfin, elle retrouvait sa taille de jeune fille, enfin, elle pouvait mettre des jupes près du corps, des bikinis, des dessous sexy, elle pouvait de nouveau danser, se soûler, ne pas rentrer de la nuit, séduire les noctambules... Pendant que Lily faisait la nounou avec moi, elle menait une vie excitante. Elle avait renoué avec ses amis, elle conquérait des cœurs. Grâce au chèque de Lily, elle avait de la marge, mais en quatre semaines elle avait déjà dilapidé ces fonds. Après, elle s'était livrée à un chantage affectif pour que ma grand-mère la renfloue. Cela n'avait pas marché. Alors, par représailles, elle m'avait kidnappée. Bien fait pour Lily, qui n'avait qu'à ne pas être aussi pingre. Elle avait une bonne copine que les couches-culottes ne dégoûtaient pas. Elle me confiait à sa garde, et le tour était joué. Mais j'étais un bébé brailleur, sa bonne copine n'arrivait pas à me calmer, elle lui avait dit tout de go de me reprendre. Elle n'avait plus qu'à me ramener chez Lily. Ce n'était pas parce qu'elle ne m'aimait pas, elle me trouvait mignonne, mais changer mes couches, faire chauffer le biberon, veiller près de mon berceau quand je pleurais, non merci ! Elle se serait flinguée si ses journées s'étaient résumées à ça ! Elle n'était pas encore à un âge où la maternité serait la compensation des déboires sentimentaux. Que Lily, qui n'avait rien dans sa vie, se dévoue ! Elle, elle était entourée, avait plein d'amis, des amants qui lui téléphonaient six fois par jour. Me voir de temps en temps, soit, mais me dorloter vingt-quatre heures sur vingt-quatre, ah non ! Pourquoi se serait-elle privée de tout ce qui lui était doux simplement parce qu'elle avait eu, sans qu'elle l'ait voulu, un bébé ? Elle se dépêchait de jouir de chaque instant, tant qu'elle n'était pas une vieille peau. Et puis, les fois où elle passait rue Rouvet pour me bercer dans ses bras, je poussais des hurlements et je ne cessais de crier que quand Lily me serrait contre elle. J'étais déjà impossible. Je lui préférais déjà ma grand-mère. Elle n'en était que plus décidée à m'abandonner à ses soins. Elle n'avait pas été une mère attentionnée, mes rancœurs envers elle venaient de là. Mais elle avait tant de sollicitations, et elle n'allait pas les fuir en ne faisant que stériliser mes tétines, me baigner, me donner la becquée. Elle s'était déchargée de tout cela sur Lily. Que ma grand-mère bêtifie donc avec moi si j'étais sa raison d'être ! Elle, avait bien d'autres moyens de se sentir exister. Et ce n'était pas en jouant les mamans paniquées dès que leur nouveau-né s'enrhumait. Ses amies n'avaient pas d'enfant, les veinardes ! Si elle avait pressenti qu'elle et moi nous ne vivrions pas en parfait accord, elle aurait interrompu sa grossesse. Le mal était fait. Et ce n'était pas maintenant que les choses changeraient. J'étais grande, elle abordait la quarantaine en étant de plus en plus seule, en n'ayant même pas un mari potable.

Elle n'aurait jamais cru qu'elle irait de fiasco en fiasco. Tout compte fait, il n'y avait qu'avec mon père qu'elle avait eu de vrais moments de contentement. Elle l'admirait, il n'était pas semblable aux autres, il ne dégoisait pas des lieux communs sur la vie, l'amour, les vaches, il avait de hautes visées, il jouait gros jeu, pas comme certains, qui se ménageaient toujours une position de repli, au cas où. Elle s'honorait d'avoir été son amante, elle se serait même envolée pour le Vietnam s'il le lui avait demandé, mais il ne lui avait rien demandé, juste d'être son amoureuse l'espace d'une semaine. Et elle avait été une amoureuse transie, sinon elle ne m'aurait pas gardée, car j'étais ce qui restait de lui. Quand j'étais née, j'avais les mêmes yeux, la même bouche, le même front que mon père, j'étais son portrait en miniature. Je n'avais pas pour autant hérité de ses qualités, j'étais narcissique, compliquée, mais passive, ne réagissant pas contre le monde tel qu'il va. Et quelle consternation cela aurait été pour lui, le guerrier, d'apprendre qu'il avait une fille employée chez un grand couturier ! Une fille qui poussait l'indiscrétion jusqu'à vouloir entrer en relation avec un demi-frère qui se formaliserait de cette inconvenance.

Van ne me ferait pas bon visage, car enfin c'était comme si je forçais sa porte. Il ne devait pas être homme à apprécier les baby dolls dans mon genre, qui ne savaient plus quoi inventer pour se rendre intéressantes. J'aurais l'air fin s'il ne mordait pas à mes invites. Elle n'était pas une pythie, mais elle m'aurait prévenue ! Je mériterais qu'il me dise : « Mademoiselle, vous êtes une fâcheuse. » Cela me donnerait une leçon, à moi qui avais une rude caboche. Elle me parlait en amie, j'aurais avantage à ne pas ranimer les plaies, il n'en sortirait rien, rien qui me laverait de la honte d'être une bâtarde. Van n'était pas celui qui m'aiderait à me reconstruire. Et j'étais si fêlée que personne, pas même vous, docteur Sullivan, ne serait en mesure de m'aider. Il était de son devoir de me détourner d'une entreprise hasardeuse. Je n'avais aucun discernement, je présumais trop de moi. Lily morte, c'était à elle, ma mère, de m'éclairer de ses judicieux conseils pour que je ne me brûle pas les doigts. Elle était la voix de la sagesse, elle me ferait entendre raison. Je n'étais pas seule en cause, elle serait éclaboussée par suite de ma démarche inconsidérée. Van nous mettrait dans le même sac, nous ne serions pour lui que deux têtes folles. Elle tenait à son image, elle ne me permettrait pas de la ternir. Que ce soit bien clair !

Vingt ans durant, je ne pouvais m'ôter de l'idée que Justine voyait peut-être juste. Je ne touchais à mon stylo que pour le reposer aussitôt. Les mots ne me venaient pas, ou alors je les tournais mal. Plus je pensais à Van et faisais des hypothèses sur la manière dont il prendrait la chose, moins j'osais me jeter à l'eau. Vingt ans durant, j'avais écrit et réécrit ma lettre des centaines de fois, et chaque fois je la déchirais pour tout recommencer. Jusqu'à ce jour d'août où je m'étais dit : « Tant pis si je me casse les dents, tant pis si Van me remballe, risquons le coup ! » Mon cœur battait la chamade quand je glissai l'enveloppe dans la boîte du coin de ma rue. Plus de marche arrière possible. C'était à mon demi-frère de jouer.

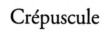

Crépuscule

Laure

J'éternue, je tousse, j'ai une crève carabinée. J'ai déjeuné avec Lou, mais seulement à quatre heures de l'après-midi. Elle a fait du poulet au curry. Van raffolait de ce plat, il manquait un couvert, le sien. Lou avait toujours la joue enflée, elle se massait les tempes, comme si elle avait la migraine, et elle n'a presque rien mangé. Elle m'a tendu la carte que Van a envoyée à Rachid, avec la phrase qui semble maintenant une raillerie : « Lou est la perfection faite femme. » Je me suis levée pour m'asseoir près d'elle et lui prendre la main. Elle avait une petite figure, une larme roulait sur sa joue, elle l'a essuyée d'un geste furtif. Puis elle a rangé la carte dans le tiroir de la table, au milieu du courrier qu'elle n'a même pas ouvert et qui s'accumule depuis trois semaines. Elle m'a donné des granules pour mon début de grippe et m'a dit d'aller me recoucher. Elle m'apporterait un thermos de tisane bouillante. Elle a sorti du placard de l'entrée une épaisse couverture qui me tiendrait chaud. Elle ne sait pas que j'ai passé une partie de la nuit et de la matinée à gribouiller dans mon calepin et que j'étais claquée à cause de ça. À moins que ce ne soit parce que je

subis le contrecoup des derniers jours, où j'ai été
paumée, où tout me rappelait que jamais plus Van
ne me projetterait des films, ne me réciterait des
ballades de Villon, ne me ferait râler en corrigeant
mes fautes de français, ne me ferait découvrir des
installations de vidéastes, ne rentrerait les bras chargés de bouquins achetés à la Foire du Livre ancien,
ne partirait avec nous dans l'arrière-pays provençal,
n'aurait avec Hugues et Rachid des discussions sur
les hyperréalistes américains ou les cinéastes iraniens,
ne viderait une bouteille de bordeaux en retardant
le moment d'aller au charbon, ne lirait, à Lou et à
moi, des pages de Roberto Bolaño, ne nous mettrait les CD de John Zorn, ne prendrait une cuite
les soirs où il aurait rendu ses épreuves, ne nous
rapporterait du saumon fumé et des truffes en chocolat les jours où il serait de bon poil, n'irait avec
Lou à la Cartoucherie de Vincennes voir une pièce
de Tchekhov, ne ferait avec nous des pique-niques
au parc de Belleville, des promenades au canal de
l'Ourcq, des dîners chez *Dong Huong*, le restaurant
vietnamien de la rue Louis-Bonnet aux spécialités
alléchantes. Jamais plus il ne taquinerait Lou qui
aurait consulté son homéopathe pour le moindre
bobo, ne me taquinerait, moi qui me serais démar-
quée des filles de ma classe en ayant un look des-
troy. Jamais plus il ne me forcerait à bûcher ma
physique, ne me soufflerait des réponses pour mes
versions d'anglais, ne m'appellerait « petit corbeau »
quand j'aurais ma tenue gothique, « petit vampire »
quand j'aurais les lèvres peintes en noir, ne me prê-
terait *La Chauve-souris dorée* d'Edward Gorey, les
disques de Carlos Gardel et de Marianne Faith-

full, le catalogue de l'expo Bacon, les dessins de Louis Pons, *Le Vent dans les saules*, avec ses taupes, ses blaireaux et ses crapauds, les illustrations de *La Divine Comédie* par William Blake, *Histoire vécue d'Artaud-Mômo* (j'y avais trouvé des arguments contre l'enseignement : *Les écoles, la Sorbonne, les facultés ont été faites pour et par des ignares qui avaient besoin d'étudier pour apprendre, et d'apprendre pour savoir*). Jamais plus il ne me dirait de ne pas me croire le centre du monde, d'ouvrir les yeux et de m'instruire, pour comprendre que je n'étais qu'un atome dans l'univers. Je ne serais pas aussi gonflée à bloc lorsque, miraculeusement, je ne me rétamerais pas à mes exams. Jamais plus il ne commenterait mes photos, ne m'inciterait à en faire, ne me découperait des articles sur Mapplethorpe et Cindy Sherman, ne poserait pour moi, qui ai toute une série de portraits de lui, ne me dénicherait sur le Net des sites de photophiles, ne m'emmènerait au Muséum d'histoire naturelle voir les invertébrés fossiles, au musée Guimet voir les arts de l'Himalaya, au *New Morning* écouter Carla Bley, à la *Librairie de l'Inconnu* chercher une encyclopédie du vaudou ou des cartes mandalas, rue Sainte-Anne manger des nouilles froides japonaises, avenue de Choisy manger une soupe au tamarin. Jamais plus il ne demanderait à Lou de lui prendre des clopes, ne nous enfumerait en grillant trois paquets par jour, ne petit-déjeunerait avec moi, ne me préparerait, le dimanche, des œufs au plat, des salades de fruits, des jus d'orange, ne me proposerait, l'air mal réveillé, une partie d'échecs, n'aurait un large sourire quand je serais mat, ne me ferait les gros yeux parce que j'aurais fixé un rancard à Tommy, qui le surnommait « le Croque-mitaine », ne me frotterait l'oreille parce qu'il aurait trouvé de l'herbe dans ma chambre, ne se disputerait avec Lou parce qu'elle m'aurait acheté des gadgets électroniques, à moi qui aurais déjà passé trop de temps devant mon Mac, des santiags Free Lance et des pulls en cachemire, qui resteraient au fond de l'armoire, ou parce qu'elle m'aurait accordé la permission de sortir tard la nuit et d'aller rôder dans des endroits louches. Jamais plus il ne rentrerait des cocktails des éditeurs en bougonnant contre les petits marquis, les romancières précieuses, les directeurs de collection guindés. Jamais plus il ne me vanterait la « vertu réparatrice des soûleries » quand nous serions à la campagne et qu'il n'aurait rien d'autre à faire que de jouer au barman, un shaker entre les mains. Jamais plus je ne l'entendrais employer de ces mots incompréhensibles, chanter *Est-ce ainsi que les hommes vivent*, pousser de hauts cris lorsque le manuscrit qu'il serait en train de corriger fourmillerait de fautes d'orthographe, bâiller de sommeil les nuits où il devrait mettre les bouchées doubles. Jamais plus il ne m'accompagnerait au concert de Tinderstick, à *L'Espace Saint-Michel* qui aurait ressorti les ovnis de Pelechian, chez *Gibert* quand je chercherais le DVD de *La Famille Addams* et les albums de Noir Désir, au château de Vincennes quand j'aurais une dissert à faire sur un monument du patrimoine, rue de Verneuil quand je voudrais photographier les graffitis de la maison de Gainsbourg, à la bibliothèque Parmentier quand il me faudrait de la documentation pour un devoir de français, à la Fondation Cartier-Bresson quand s'ouvrirait une expo Doisneau, aux happenings quand j'aurais beaucoup insisté pour y aller, à Saint-Ouen quand j'aurais ma dose des activités culturelles et que Lou m'aurait donné de quoi m'offrir une bricole, jamais plus il ne m'accompagnerait dans le treizième quand, au Nouvel An chinois, il y aurait la danse des dragons, jamais plus, au mois d'août, nous ne ferions de la barque ou du vélo, jamais plus nous ne

La sonnerie du portable a coupé court à ma litanie. C'était Tommy qui avait une foultitude de choses à me dire sur Guy Maddin. Je faisais *Hmm !* *Hmm !* sans percuter. Regarder sur YouTube la bande annonce de *The Saddest Music in the World*, il en a de bonnes ! Je suis kaput, tout ankylosée, c'est à peine si je peux tenir mon feutre. J'ai les mains tellement gelées que j'ai glissé une bouillotte sous les édredons. Mon front est brûlant, ma gorge irritée j'ai presque une extinction de voix. Si Van avait été là, il m'aurait déjà fait prendre des antibiotiques. Je ne suis pas sûre que les granules de Lou me remettraient vite sur pied Mais bon, elle doit savoir mieux que moi ce qui me convient. Je ne vais pas l'énerver en lui disant que ses pastilles aux plantes ont un goût chimique et que sa tisane me barbouille l'estomac. Elle a regagné sa chambre, après m'avoir murmuré que ce serait peut-être bien de déménager pour ne plus vivre au milieu de tout ce qui la faisait penser à Van. Elle louerait un appartement plus petit, dans un autre quartier, pourquoi pas du côté du marché d'Aligre, ou rive gauche, près de la rue Daguerre. Même si je comprends ses raisons, ce sera dur pour moi de quitter ce trois pièces que Van a choisi, il y a dix-sept ans. Avec lui, on y a eu de bons moments. C'est Van aussi qui a choisi les meubles, repeint les murs en blanc cassé. Abandonner cet appart reviendrait à l'enterrer une seconde fois. Ce sera dur pour moi d'habiter dans un lieu où il n'aurait pas laissé des traces. Je ne cultive pas les humeurs noires, mais je serais encore plus paumée si je n'avais plus sous les yeux ses affaires, si je ne pouvais me répéter qu'il était juste allé au bistrot du coin et qu'il rentrerait d'un instant à l'autre. Je m'en veux déjà de n'avoir pas été une fille comme il rêvait d'en avoir, supérieurement intelligente et bibliophage. Je ne suis ni une fashion victim qui n'a rien dans le crâne, ni une peste qui se serait tout permis, mais je ne suis pas non plus une merveille. Sans mes délires vestimentaires, je passerais inaperçue. Je déteste être dans la moyenne. Van disait qu'il faut casser le moule.

Moi, moitié vietnamienne moitié française, je ne ressemble pas à toutes celles qui ont des parents bien d'ici. Je serai toujours entre deux eaux, même si mon père n'est pas vraiment asiatique, même si je ne connais pas grand-chose de son pays. Lorsque j'aurai vingt ans, j'irai, comme Ulma, à Saïgon. Je partirai seule et je mailerai à Lou des comptes rendus de mon voyage. Je ferai des photos de la ville de mon père. Je visiterai le centre, je pousserai jusqu'à Hanoï, puis jusqu'à Sapa, où je logerai chez l'habitant, et je gravirai le Fansipan.

Van détournait le visage chaque fois que je lui demandais pourquoi il ne prenait pas de billet pour le Vietnam. Il haussait les épaules et faisait la grimace, comme si je touchais à un point sensible. Lou me disait de lui ficher la paix et de ne plus aborder un sujet qui lui était douloureux. Ce n'était pas parce qu'il avait le mal du pays, mais parce que, comme Lou l'a écrit à Hugues, « sa mère vivait toujours en lui : l'évocation d'un retour au bercail ravivait sa désolation de ne l'avoir jamais revue ». Je ne parlais donc plus de la maison de son enfance. J'avais en tête des images d'Épinal du Vietnam : en province, tous les logements ont des toits en pagode, les marchés sont des marchés flottants, les pauvres, depuis l'indépendance, n'y sont pas traités comme des chiens, les repas ne se composent que d'un peu de riz et de poisson séché, le matin, les vieilles personnes font de la gymnastique dans les parcs au son de l'hymne national diffusé par les haut-parleurs, c'est une terre de fées, où il y a des prodiges tous les jours, même les commissaires politiques ne peuvent rien contre les croyances bien ancrées, les bonzes à la robe jaune y sont vénérés comme des demi-dieux...

Pour en finir avec les clichés, il faudrait que je m'informe, non pas en feuilletant des guides ou en naviguant d'un site Internet à l'autre, mais en lisant des livres qui me donneraient une vue d'ensemble des mœurs et des coutumes de ce peuple auquel j'appartiens (même un tout petit peu). Je n'en ai eu, jusque-là, qu'une vision réductrice. Avant la mort de Van, l'idée de faire un tour au Vietnam ne m'avait jamais effleurée. J'étais d'Occident, bien que j'aie un père qui venait d'Asie. Comme il possédait bien le français, c'était facile pour lui de s'insérer, même si, au bout de trente ans d'exil, il ne s'est pas inséré au point de se fondre dans la masse, d'être la copie conforme de n'importe quel Parisien. Il tenait à rester un étranger, accro à ce qui se faisait aux quatre coins du monde.

Moi-même, qui suis-je ? Une Eurasienne comme Ulma ? Ou une vraie Française, malgré mes yeux bridés ? Jusqu'à hier, je ne m'étais pas posé la question. Est-ce que je, serais, à dix-huit ans, une citoyenne de seconde zone parce que mon père était naturalisé ? Lou disait qu'elle n'était pas de Bretagne (la Bretagne = sa mère), Van qu'il n'avait rien d'un Vietnamien pur jus. Où sont mes racines ? Et est-ce que c'est vital de s'enraciner quelque part ? Si je vais à Saïgon, comment me regarderait-on ? Est-ce que je serais une touriste parmi d'autres ? Ou est-ce qu'on me prendrait pour la fille d'un de ces enfants que des G.I. avaient eus avec des femmes de là-bas ?

J'aurais tant aimé être avec Van à Hanoï, qu'il ne connaissait pas, puisque, avant la fin de la guerre, les habitants du Sud ne pouvaient pas franchir le dix-septième parallèle. Est-ce qu'Ulma avait été bien accueillie par les Saïgonnais ? Dans les années où elle y était allée, la République socialiste commençait à appliquer une politique d'ouverture, mais restait quand même l'un des derniers bastions du communisme. D'après ses lettres à Van, elle avait engagé la conversation avec des gens qui se plaignaient de ce que les membres du Parti faisaient main basse sur tout. La corruption était devenue le sport national. Tout le monde s'y livrait pour récolter ne serait-ce que des miettes du gâteau. Les Vietnamiens de la diaspora, surtout, se voyaient souvent extorquer des dollars par des douaniers qui leur cherchaient des poux pour le moindre document manquant et ne les laissaient repartir qu'à condition qu'ils leur glissent quelques billets verts. Hô Chi Minh se serait scandalisé s'il avait vu ça : certains anciens bô dôi, une fois au gouvernement, étaient de vrais rapaces. On disait à Ulma que c'était pire qu'avant, au temps des Américains. Elle n'en croyait pas ses oreilles. Elle s'était fait, comme moi, une représentation du Vietnam qui ne correspondait pas à la réalité. Quelques journalistes dénonçaient cette corruption généralisée, mais ils n'étaient pas prophètes en leur pays. Parfois, un fonctionnaire était arrêté pour avoir touché des pots-de-vin, mais ça ne changeait rien à ces pratiques. On disait aussi à Ulma que le plus petit fonctionnaire qui détenait une parcelle de pouvoir en abusait. C'était le Far West. Où était le bon grain que l'Oncle Hô avait semé ? Partout dans les villes ses belles devises étaient rappelées, mais la plupart des cadres de l'administration avaient tout l'air de les avoir mises au rancart. Est-ce que le père de Van et d'Ulma aurait été comme ceux-là s'il avait vécu jusqu'à la réunification ? Il devait quand même y avoir des purs et durs, qui n'avaient pas trahi, mais ils étaient si purs et si durs qu'ils mettaient en prison les écrivains dissidents.

Van lisait certains de ces écrivains, mais en traduction, il avait presque tout oublié du vietnamien. Est-ce possible d'oublier une langue dans laquelle on a baigné jusqu'à l'âge de quinze ans ? Inconsciemment et par instinct de conservation, il s'était éloigné, après la mort de sa mère, de ce qui avait un lien avec sa terre natale. Il disait qu'il n'était pas « déculturé », mais qu'il avait planté sa tente en France, autant faire siens de nouveaux modes de pensée. Il disait aussi qu'il portait sa patrie en lui, et que ça, personne ne pourrait le lui enlever. Il avait une face tournée vers l'Orient, l'autre vers l'Occident. Pour lui, c'était une chance d'avoir deux pôles. C'était mieux que d'être un cocardier né là, grandi là, qui séchait sur pied là, sans jamais être sorti de son trou, et qui n'était pas raciste, ma bonne dame, mais tout de même, ces métèques se croyaient trop chez eux.

La mère de Lou est de cette catégorie. Van trouvait cocasse d'être marié à la fille d'une xénophobe obsédée par la peur d'une invasion des barbares. La religion de ma grand-mère était faite depuis longtemps sur les dangers du melting-pot. Et Lou qui osait introduire un venu d'on ne savait où dans sa famille d'Aryens ! En plus, elle avait eu une gosse avec cet individu ! Ma pauvre grand-mère, qui n'avait pas daigné prendre de mes nouvelles, en avait presque fait une crise cardiaque. Elle avait renié Lou et lui avait interdit de se servir de son nom de jeune fille, où le nom de sa mère était accolé à celui de son père. Lou n'est jamais revenue en Bretagne, comme si c'était le fief de ma grand-mère (elle n'en parlait plus qu'en termes assassins). Mon grand-père a eu beau lui dire que, lui aussi, est breton, et que les Bretons sont, par tradition, très accueillants envers les migrants, elle est restée sur ses positions. Ni les Côtes-d'Armor ni la pointe du Raz n'ont fait partie de nos destinations de vacances. Van y était allé à vingt ans et en avait gardé de fortes impressions. Mais c'est avec Ulma qu'il devait y retourner. Et ça a beaucoup chagriné Lou. Comme les adultes sont bizarres ! Van aurait pu éviter d'aller en Bretagne, même pour un pèlerinage à la petite maison de Georges Perros, même en racontant des histoires à Lou, comme quoi un éditeur l'aurait envoyé chez un imprimeur de Vendôme. Il ne savait pas qu'un détective, grassement payé par Lou, ne le lâchait pas d'une semelle et faisait des rapports sur ses occupations. Elle aurait pu éviter d'avoir recours à une fouine. Ma grand-mère aurait exulté si elle avait appris tout ça. Elle avait bien dit qu'entre une bonne Française et un immigré ça ne collerait pas ! Heureusement, mon grand-père avait passé sous silence les derniers rebondissements de cette affaire qui agitait Lou au point qu'elle était pâle comme un linge et qu'à son école on la croyait malade.

Elle n'avait pas la tête à son travail, elle perdait ses clés, ses lunettes, elle dormait mal, elle ne se nourrissait que de haricots verts, elle était souvent si excitable qu'il valait mieux ne pas la contrarier, elle avait parfois avec moi un ton sec, l'air de décréter : « C'est comme ça et pas autrement », mais rien n'allait comme elle voulait depuis qu'Ulma… Ulma ! Ulma ! Ulma ! Était-elle la cause de tout ? Si elle n'avait pas écrit à Van, si elle n'avait été qu'une simple sœur pour lui, si Lou avait été plus passionnée, si elle et Van n'avaient pas sombré dans le ronron, s'il nous avait avoué qu'il s'était enthousiasmé pour Ulma… Avec tous ces « si » je ne suis pas plus avancée. Je ne devrais plus me triturer les méninges, moi qui ai déjà de la peine à respirer, tant je tousse.

Tommy m'a dit, après l'enterrement de Van, que j'accédais à l'âge adulte. Mais je refuse d'y entrer. Faut-il que je devienne grande et que je me raisonne quand la vie me donnerait des coups en vache ? Fallait-il que, devant le cadavre de Van, je me répète : « C'est la fatalité » ? Non, je me révolterai toujours, car sans ça, je me racornirai. Je ne serai pas une résignée, mais une lutteuse, Van l'était à sa manière, il s'écartait de la norme, il disait qu'il était un anar tendance Bartleby, qui « préférerait ne pas » être dans le jeu. Bartleby, le copiste de Melville qui débarque dans le bureau d'un homme de loi new-yorkais, n'est pas un lutteur, et pourtant il sème la stupeur par sa résistance passive, en n'ayant à la bouche que ces mots : *Je préférerais ne pas*. Pendant des mois, je lui avais piqué sa formule pour faire la maligne, mais personne au lycée ne la relevait, alors, je la marmonnais quand j'étais seule et que, comme lui, je croquais des biscuits au gingembre. J'ai fait lire *Bartleby* à Tommy et lui aussi, a attrapé le mot, c'était sa réplique *préférée* lorsqu'il voulait me couper la chique. Ça tournait au comique. Lou en était exaspérée et elle avait prévenu Van que, si elle entendait encore cette expression, elle se mettrait en grève et « *préférerait ne pas* vaquer aux travaux domestiques ». Il m'avait alors dit que la formule de Bartleby n'était pas à utiliser à tout bout de champ. Ce n'était pas une plaisanterie. Je lui ôtais son caractère révolutionnaire à force d'en faire une rengaine.

Van était quand même un drôle de bonhomme. Il marchait toujours à côté de ses pompes, il se perdait toujours dans les nuages, et ce n'était pas avec Ulma qu'il serait redescendu sur terre. Sans la lettre de sa demi-sœur, il aurait peut-être été moins rêvasseur, mais tout aussi à contresens, ne faisant rien comme les autres, se contredisant tout le temps. Maintenant qu'il est au cimetière, je me demande si, au dernier instant, il a pensé à moi, ou s'il regrettait seulement de ne plus voir Ulma, s'il trouvait que c'était trop tôt pour s'en aller. Il commençait juste, grâce à sa demi-sœur, à vivre une seconde jeunesse. Je ne suis pas croyante, autrement je me demande-rais s'il est au purgatoire, je serais peut-être comme ces bigotes qui prient pour le salut de leurs morts. J'essaie d'être une rationaliste, de me convaincre que l'homme sort du néant et retourne au néant. Mais quand le soir tombe, je m'imagine que, si le corps de Van a quitté ce monde, son esprit hante notre mai-son. En dressant un autel comme le font les boud-dhistes, Lou et moi on aurait peut-être sa protection. Tommy se paie ma fiole quand je lui dis ça : « Tu débloques, ma vieille ! Ton père ne se lèvera pas de son cercueil pour venir vous tirer par les pieds ! Tu as lu trop de romans noirs ! » Non, Van ne vien-dra pas nous tirer par les pieds, Lou et moi on n'a rien à craindre. Il ne sera pas un de ces revenants qui se manifestent par le Poltergeist, en déplaçant les objets, en soulevant les meubles, en faisant du tintamarre la nuit jusqu'à ce qu'ils répandent par-tout l'effroi. Non, j'espère qu'il a pardonné à Lou ce qu'elle appelle son amok. Est-ce que j'irais sur sa tombe pour déposer des fleurs ou, comme les Asia-tiques, brûler des bâtonnets d'encens ? Que signi-fie *honorer la mémoire d'un défunt* ? Est-ce que je le fais en écrivant dans ce carnet ? Là où est Van, ça lui est bien égal que j'honore sa mémoire ou pas. C'est pour moi que j'écris, pour ne pas déprimer et voir plus clair. Mais je ne vois pas plus clair, tout m'échappe.

Si j'avais pu avoir un face-à-face avec Ulma, je l'aurais assaillie de questions. Comment se comportait Van ? Est-ce qu'il était causant ? Est-ce qu'il la faisait rire ? Est-ce qu'il buvait beaucoup quand ils dînaient ensemble ? Est-ce que, comme à la maison, il sifflotait l'air de *Put the Blame on Mame, Boys* ? Est-ce qu'il lui prêtait, comme à moi, les nouvelles de Lu Xun ? Est-ce qu'il était étourdi ou au contraire très sérieux ? Est-ce qu'il s'habillait élégamment quand il venait la chercher ? Ou est-ce qu'il portait toujours ses cols roulés et son cuir noir ? Est-ce qu'il lui apportait des pivoines ? Des éclairs au thé vert vendus à la pâtisserie japonaise de la rue de Vaugirard ? Les numéros spéciaux de la *NRF* sur ses auteurs favoris ? Les reproductions des gravures de Spilliaert ? Est-ce qu'il fumait ses Camel ou des cigarillos, comme lorsque, entre deux corrections d'épreuves, il s'accordait une pause ? Est-ce qu'il commandait des tempuras au restaurant coréen ? Est-ce qu'il lui faisait goûter ses plats ? Est-ce qu'il trempait ses lèvres dans son verre à elle ? Est-ce qu'il la prévenait avant de sonner à sa porte, ou est-ce qu'il se pointait à toute heure du jour et de la nuit ? Est-ce qu'il lui offrait des disques de tango ? Est-ce qu'il lui faisait la lecture à haute voix ? Est-ce qu'il lui lisait les mêmes livres qu'à Lou et moi ? Est-ce qu'il lui citait des aphorismes chaque fois qu'il ne savait plus quoi répondre ? Pourquoi étaient-ils allés tous les deux à Douarnenez ? Comment était-ce quand ils prenaient un verre au *Duc des Lombards* ? Est-ce qu'il lui mailait souvent ? Est-ce qu'il lui téléphonait quand il avait des insomnies ? Est-ce qu'il lui jurait, comme à Lou, que, quoi qu'il arrive, il serait fidèle au poste ? Est-ce qu'il lui disait que leurs rendez-vous clandestins étaient pour lui fabuleux ? Qu'il était plus que son frère, son jumeau ? Est-ce qu'il était toujours pêchu, ou est-ce qu'il avait parfois le moral en berne ? Est-ce qu'il se sentait dans son tort parce qu'il faisait des choses derrière le dos de Lou ? Ou est-ce qu'il prétendait avoir la conscience nette ? Est-ce qu'il lui racontait comment il était, enfant, comment il vivait lorsqu'il était étudiant, comment, moi, j'étais, lorsque j'avais quatre ans ? Est-ce qu'il lui décrivait sa mère ? Est-ce qu'il revenait sans cesse sur la période où son père avait pris le maquis ? Est-ce qu'il lui parlait à cœur ouvert ? Ou bien est-ce qu'il n'en disait jamais trop pour ne pas faire une boulette en mentionnant le nom de Lou ? Est-ce qu'il était nerveux ou relax ? Est-ce qu'il se doutait qu'il était espionné ? Est-ce que ? Est-ce que ?

Lou l'aurait sec si je tentais d'approcher Ulma. Il ne me reste qu'à faire des suppositions sur les derniers mois de la vie de Van. M. Grimaldi, dans ses rapports, s'en tient aux faits. Il dit exactement où et quand Van et Ulma se retrouvaient, il ne dit rien qui transporte mon imaginaire, qui explique en partie pourquoi Van était comme « marabouté ». Ses photos montrent un couple comme il y en a tant, bras dessus, dessous, marchant le long des quais de la Seine. Seuls ceux qui étaient frappés par la beauté d'Ulma les remarquaient dans la foule des promeneurs, sans savoir qu'ils étaient frère et sœur. Ce sont pourtant ces photos qui ont fait le plus de mal à Lou, parce que Van ne mettait jamais sa main sur son épaule quand ils flânaient dans les rues, il ne la prenait jamais par la taille, il avait l'attitude d'un mari qui s'était trop habitué à sa femme pour la couver des yeux, même si, de temps en temps, il était encore plein d'égards envers elle. Sans Ulma, elle aurait supporté ses frustrations, elle ne se serait pas rendu compte que ce n'était plus comme avant, quand ils étaient tout l'un pour l'autre. Ils l'avaient été, les premières années, disons jusqu'à ma naissance, puis ils avaient été moins des amoureux que des parents qui veillaient à ce que j'aie ce qu'il me fallait, que j'évolue dans une atmosphère pas trop tendue, que je n'assiste pas à des scènes de ménage, que je ne pleure pas parce qu'ils se jetaient des assiettes à la tête. Ils ont été de bons parents, ils m'ont bien éduquée, ils n'ont pas été laxistes, mais ils ne m'ont pas brimée non plus. Van était peut-être moins commode que Lou, il était souvent sur mes talons, à vérifier que je ne fainéantais pas, que j'apprenais bien mes leçons, que je n'étais pas en train de me rouler un joint, de donner des coups de fil à Tommy, ou de me connecter à Twitter. Depuis l'automne dernier, il ne m'avait plus trop asticotée, il avait l'esprit absorbé par Ulma. Plus rien d'autre n'avait d'importance pour lui. Au début, j'étais sacrément soulagée, je ne flairais pas encore qu'il nous faisait des cachotteries et que ça se gâtait. J'étais, comme mes trois singes en terre cuite, aveugle, sourde et muette. Je ne voyais pas que Lou avait souvent les larmes aux yeux, je fermais l'oreille et ne pipais mot quand elle me disait qu'il se tramait quelque chose. Je ne m'en balançais pas, mais pour moi, elle se faisait des idées. Van ne rentrait parfois qu'à quatre heures du mat, il était si distrait qu'il mettait ses pulls à l'envers, descendait dans la rue en chaussons, se coupait en se rasant, mélangeait ses fichiers, confondait ses envois aux éditeurs, n'avait plus aucune notion du temps, répondait à côté quand on le tirait de son mutisme, prenait du retard dans son boulot. Il n'allait plus nulle part avec Lou, il ne faisait pas plus attention à moi qu'à un couvre-lit, il était ailleurs, près d'Ulma, même quand il nous consacrait sa soirée.

J'écris, j'écris, et j'ai toujours le cafard. À qui la faute si ça s'est mal fini ? Si Lou ne se retrouve pas derrière les barreaux, est-ce qu'elle refera sa vie dans deux ou trois ans comme si tout n'avait été qu'un mauvais rêve ? Ou bien est-ce qu'elle restera seule jusqu'à la fin, comme pour se racheter ? Est-ce que mes notes valent quelque chose ? Est-ce que je les garderai pour les parcourir à mes moments perdus ou est-ce que je les bazarderai ? Est-ce que demain je tiendrai encore ce journal ou est-ce que j'arrête-rai les frais, parce que c'est beaucoup d'efforts pour des résultats décevants ? J'ai beaucoup médité sur ce que je dois écrire, alors j'ai la plume plus facile que d'habitude. Après ce long samedi où j'ai tout dissé-qué, je suis vannée. Les yeux me piquent, mes doigts sont tout engourdis, j'ai la cervelle ramollie. Je suis toujours à la case départ, dans le noir. Est-ce que Lou et moi, on réussira à vivre sans Van ? Est-ce qu'il ne sera bientôt plus qu'une image du passé qui s'estompera petit à petit ? Combien de temps faudra-t-il pour que je me dise qu'il est mort et bien mort, et pour que je fasse mon deuil ? Maintenant que Van est dans la tombe, je voudrais tellement, si son esprit hante notre maison, qu'il accorde à Lou son pardon, qu'il ait des motifs d'être content de moi, qu'il veille sur nous et qu'il chasse les mau-vaises ondes. Je voudrais tellement ne plus être cette âme en peine qui se trimballe d'une pièce à l'autre en ayant le cœur serré par un horrible sentiment de vide. Je voudrais tellement que Lou n'accuse pas Ulma de lui avoir volé Van, qu'elle ne traîne pas pendant cent sept ans sa culpabilité. Je voudrais tellement qu'un nouveau jour se lève et qu'elle et moi, on reprenne goût aux choses, tout en conservant le souvenir de Van. Je referme ce calepin, le rouvrirai-je demain ? Peut-être que je ne dois plus ruminer. Trop gratter cuit. Le marchand de sable est passé. Pourvu que je dorme comme une bûche jusqu'à demain après-midi !

Lou

En cherchant une gomme dans une vieille boîte, j'ai mis la main sur une photo de mon mariage. Van n'avait pas trente ans, j'étais toute jeune. Je n'avais convié à la cérémonie que mon père et trois amies. Hugues et Rachid étaient les seuls invités de Van. Nous n'étions que huit dans le grand appartement que nous avaient prêté les parents d'Hugues. J'étrennais une tunique vietnamienne, faite par une couturière du treizième Des musiciens nous avaient rejoints pour donner un concert de cithare. À minuit, nous étions encore là à les écouter, nous n'avions pas dansé ensuite, mais tout le monde était gai, un peu parti après avoir bu quelques coupes. Rachid avait apporté son saxo et s'était mis à jouer des airs de jazz. Van ne me quittait pas des yeux, mon père, la mine réjouie, me pressait entre ses bras, mes trois amies ne cessaient de me répéter que j'avais bien de la chance. J'avais les joues en feu, tant le champagne me montait à la tête et tant j'étais émue. Les noces n'avaient pris fin qu'à l'aube. Van avait réservé une chambre dans un petit hôtel, nous y avions fait l'amour pour la première fois et nous étions restés entre les draps toute la journée avant de sortir dîner dans un restaurant chinois. Le lendemain, nous étions allés chez moi, dans ma studette des Abbesses, et nous avions refait l'amour jusqu'à ce que la faim nous oblige à nous lever et à chercher dans le quartier un café encore ouvert. Pendant une semaine, nous nous étions adonnés à des jeux érotiques, je ne me lassais pas de couvrir Van de baisers, de le caresser, de l'étreindre.

Je compare la photo du mariage et celles que mon détective m'a remises : Van à côté de moi et Van serrant Ulma dans ses bras. J'ai si mal que je pourrais me jeter par la fenêtre. Pourquoi avait-il fallu que Van néglige les grandes promesses qu'il m'avait faites ? Ne m'avait-il pas affirmé, six mois avant de n'avoir qu'Ulma en tête, que personne ne nous séparerait ? Je suis si rompue à cause de mes nuits blanches que de sombres pensées m'envahissent : je serai écrouée, je ne serai relâchée qu'après dix années d'enfermement, en prison je me serai tournée vers Dieu ou, au contraire, j'aurai porté plainte contre Lui car Il n'était pas venu à mon secours.

Dirai-je à Laure que la pire sentence a déjà été prononcée contre moi, puisque je suis au supplice ? Que si j'étais chrétienne je me mortifierais le restant de mes jours ? Que si j'étais bouddhiste je serais convaincue qu'un karma pèse sur moi ? Comment faire comme si rien de tragique ne s'était produit, comme si Van était mort de mort naturelle ?

Hugues m'a appelée tout à l'heure. D'après lui, je devrais déménager, prendre un appartement loin de Belleville, ne plus songer qu'à Laure. Elle aura bientôt dix-huit ans, mais elle est parfois très bébé, elle ne saurait pas se débrouiller sans moi. Je dois l'aider à se réaliser. Elle a la fibre artistique, avec un peu d'opiniâtreté elle fera son chemin. Elle n'est pas taillée pour de longues études, mais elle est assez fine pour mettre à profit son talent de chasseur d'images. Van n'était pas chiche de compliments quand elle lui montrait ses cadrages : elle avait le coup d'œil. Depuis des semaines, elle a rangé dans un sac son Polaroïd et son reflex numérique. Elle aussi est très bas, je ne sais comment dissiper ses angoisses, je crains que plus tard elle ne me rejette. Hugues m'assure qu'avec le temps elle oubliera, à condition que moi-même je me tourne vers l'avenir, Laure a de beaux jours devant elle, malgré la fin prématurée de Van. Je ne dois pas me laisser glisser, car ses études s'en ressentiront, elle n'est déjà pas très assidue aux cours, elle ne fera plus rien si je ne vais pas bien. Pour peu que je me ressaisisse, elle suivra mon exemple.

Aurai-je l'énergie nécessaire pour continuer ? Ou bien déposerai-je les armes ? Laure n'a plus que moi, mais je n'arrive pas à me dire que, comme tout repose sur mes épaules, le principal est d'entourer Laure de soins, pour qu'elle aille de l'avant. Il m'incombe de lui rendre l'existence moins pesante. Je ne me préoc-cuperai que de lui aplanir les voies, de sorte qu'elle soit toujours en progrès. J'aurai une vieillesse soli-taire, car jamais aucun homme ne remplacera Van. Laure m'a demandé si j'étais d'attaque pour aller en Provence, où l'ambiance serait moins sinistre que dans notre appartement parisien. Je pourrais faire des randonnées, jouer avec elle et d'autres au volley-ball, me dépenser physiquement, au lieu de rester là à me morfondre, j'ai besoin de me changer les idées, j'ai le teint cadavérique, un appétit d'oiseau, j'ai perdu six kilos, je vais tomber d'inanition. Elle m'adjure de ne plus me faire de bile et de regarder vers demain.

Je relis ce que j'ai noté ces derniers jours, avant de commencer ma confession :

Avant-hier, près du métro Couronnes, un Arabe et un Chinois en étaient venus aux mains après s'être violemment injuriés. Un couteau a jailli de la poche de l'un d'eux. Scène peut-être habituelle dans ce quartier, mais j'étais dans une telle anxiété que cela m'a fait affreusement peur.

La déchéance me guette. J'ai enlaidi, mes cheveux sont d'un gris sale, j'ai les joues émaciées, des cernes sous les yeux, des tremblements convulsifs, j'ai vieilli de dix ans en quatre semaines. Si je ne fais pas quelque chose, je ne serai bientôt plus que l'ombre de moi-même.

J'ai retrouvé trois vers d'Alejandra Pizarnik que Van m'avait recopiés le jour de mon anniversaire : *Reçois ce visage à moi, muet, mendiant. | Reçois cet amour que je te demande. | Reçois ce qui en moi est toi.* En ces temps anciens, il se serait damné pour moi.

Sur une des photos qu'a prises M. Grimaldi, Van tient la main d'Ulma. Ils sont devant le Sacré-Cœur. C'était là que lui et moi nous paressions au soleil, lorsqu'il me faisait une cour timide.

Sur une autre photo, Ulma et Van sortent de *L'Action Christine*, où passe *Elle et lui*, le film qu'il m'avait emmenée voir au tout début, dans cette même salle. À l'époque, je m'étais fichue de son sentimentalisme. Ulma, elle, devait vibrer. J'avais tout faux. Elle était dans le vrai.

Il allait avec elle à la MC93, pour qu'elle connaisse les mises en scène de Marthaler. Moi, depuis un bon bout de temps, je ne m'intéressais plus au théâtre. Et j'écoutais à peine Van lorsqu'il entonnait la louange de tel ou tel comédien.

Encore une photo qui me rend plus que triste : Ulma et Van au Jardin des Plantes, étroitement enlacés. On aurait dit de jeunes amants insouciants. Le monde s'écroulerait qu'ils ne s'en apercevraient pas.

Dans ses mails à Ulma, il lui disait des choses semblables à celles qu'il m'avait dites : rien ne les séparera, il sera toujours là pour elle, il l'aime à la folie, elle est le meilleur de lui, il mourrait s'il ne l'avait plus à ses côtés, etc. Mais il y a une petite différence – il y mettait de la conviction, alors qu'avec moi il prononçait ces mots presque machinalement, et seulement quand il était ivre.

La première lettre d'Ulma était très stylisée, mais sans maniérisme. On sent qu'elle avait longuement délibéré avant de faire le saut, qu'elle avait pesé chaque mot pour que cela sonne juste. Je n'aurais pas été capable de tourner une lettre de cette façon, surtout si elle n'est pas anecdotique. Voilà une autre supériorité qu'Ulma avait sur moi.

Van avait gardé les cartes des restaurants où elle et lui avaient dîné. Dans un de ses carnets, il avait noté les films qu'ils avaient vus, comme s'il fallait conserver toutes les traces de leurs soirées.

Mon père, qui ne sait pas tout, me dit que Van était un mari en or. Me voilà veuve, mais je n'ai pas l'âge de m'ensevelir dans un désert. Je ferai de nouvelles rencontres, une fois que mon deuil aura touché à son terme. À l'entendre, je ne suis pas finie. Pas finie, moi ? Je ne suis plus qu'une pauvre chose.

Qu'aurais-je à dire pour ma défense ? Qu'un

démon s'était emparé de moi ? Que je n'avais plus le contrôle de moi-même ? J'avais l'impression que ce n'était pas moi qui étais au volant de l'Austin, mais un double sur lequel je n'avais aucune prise. Tout s'était passé en un éclair. À peine avais-je distingué la silhouette de Van dans l'obscurité que ma voiture le percutait. Avais-je freiné à la dernière seconde ? Avais-je été tentée de m'enfuir comme un chauffard, après l'avoir percuté ? Je ne me souviens de rien, comme si j'avais été alors dans une semi-inconscience, comme si je ne m'étais réveillée qu'à la vue du cadavre de mon mari, j'en étais à ce point choquée que, sur le moment, je ne pouvais croire que c'était moi l'auteur de l'accident.

J'évite les miroirs, j'y ai l'air d'une petite vieille courbée, j'ai tellement maigri que mes vêtements sont trop lâches. Je suis repoussante. Qui voudrait de moi ? Et ces pages que je remplis de mon écriture de chat, elles ne sont plus bonnes que pour la poubelle. Pourtant, de noter tout cela me fait un grand bien. Je me purifie en fixant mes hantises sur le papier.

Laure m'a annoncé qu'elle a une dissertation à rédiger la semaine prochaine sur le thème de l'absence. Tout conspire à nous remettre en mémoire la disparition de Van, si jamais nous nous étions efforcées de commencer à vivre sans lui. Jusque-là, la mort était une abstraction pour Laure, et même pour moi. Je n'avais enterré qu'un oncle, qui m'avait laissé un petit héritage, dépensé en Amérique latine. Il était mort d'un infarctus, sans avoir souffert. Mon père se fait vieux, il pourrait bien rendre le dernier soupir dans pas longtemps, mais je ne m'en affligerais pas outre mesure, puisqu'il aurait atteint un âge vénérable. Quant à ma mère, je ne la regretterais pas si elle venait à mourir. Je serais une mauvaise fille, je me dirais : « Enfin ! » Je n'avais pas eu à déplorer la perte de proches, je n'avais encore jamais pleuré un être cher.

Rachid m'a offert hier des roses blanches. J'avais pris un verre avec lui au *Cannibale*, le bistrot de Van. Hugues et Rachid sont les seuls amis auprès de qui je m'épanche. Ils ne s'érigent pas en censeurs, je ne leur inspire pas la pitié. Ils me prêtent une oreille attentive, bien que je sois parfois si suffoquée par mes sanglots que mes phrases sont incohérentes et inachevées.

Selon Rachid, mon pire ennemi est moi-même. Aussi longtemps que je n'aurai pas recouvré ma force morale, je remâcherai mes fautes. Cela ne fera pas revenir Van, mais me pourrira la vie. J'étais de celles qui regardaient rarement en arrière, je suis maintenant comme une archiviste qui rassemble les éléments d'un dossier en espérant qu'il sera à ma décharge.

Les premières années, au lieu des « Je t'aime », je m'amusais à chanter à Van la chanson de Ferrat : *Que serais-je sans toi qui vins à ma rencontre / Que serais-je sans toi qu'un cœur au bois dormant / Que cette heure arrêtée au cadran / Que serais-je sans toi que ce balbutiement... / J'ai tout appris de toi comme on boit aux fontaines / Comme on lit dans le ciel les étoiles lointaines...* À qui la chanterais-je désormais ? Que serais-je sans celui qui avait été parjure ? Les jours s'en vont, et je suis toujours dans le plus complet abattement, je ne peux prendre sur moi.

Depuis l'année dernière, je n'avais pas été une femme de tête maîtresse de ses affects, plutôt une colérique qui, pour un rien, passait à l'attaque. Je menais la vie dure à Van. À quoi bon, maintenant, me frapper la poitrine ? Je n'avais pas été pleine de compréhension à son égard. Il faut dire que je manquais de recul, j'étais de moins en moins traitable et je vivais très mal le fait qu'il me débite des mensonges. Il faut dire que j'avais le mauvais rôle, celui de la vieille épouse, tandis qu'Ulma faisait souffler un vent de fraîcheur. Il faut dire que tout était perdu pour moi dès l'instant où elle s'était immiscée dans notre couple.

J'exécrais mes frères, plus bêtes que leurs pieds. Il m'est impossible de me représenter des relations fusionnelles entre un frère et une sœur. Par quelle magie Van était-il sorti de son rôle de frère pour devenir un Tristan amoureux fou de son Yseult ?

Ces photos d'elle et de lui, que j'ai payées à prix d'or, je n'ai plus qu'à les brûler, non pour escamoter des preuves accablantes, mais pour ne pas me laisser entraîner vers l'abîme chaque fois que je les examine.

J'aurais voulu visiter Saïgon et Hanoï avec Van. Il n'aurait pas été un de ces expatriés qui retournent au pays pour faire étalage de leur réussite en France. Nous aurions été des voyageurs discrets, nous aurions choisi des hôtels où descendent les provinciaux, nous aurions cherché la tombe de sa mère, je l'aurais entendu parler vietnamien, même s'il n'en savait plus que quelques mots, nous aurions pris des places pour un spectacle de marionnettes sur l'eau, il m'aurait montré le temple de la Littérature ou le mausolée de Hô Chi Minh, le quartier où il avait vécu avec sa mère. Mais il avait toujours refusé de partir pour le Vietnam. Il avait rayé Saïgon de sa mémoire. Et voilà qu'Ulma déclenchait un retour du refoulé. Je n'étais pas de force contre cette demi-sœur qui détenait la clé d'une réconciliation avec lui-même, possible seulement s'il faisait la paix avec cette part en lui qui gardait rancune à son père de l'avoir abandonné.

En allant chez maître Dieuleveult, je me suis arrêtée devant le restaurant coréen de la rue des Ciseaux où Van et Ulma avaient leurs habitudes. Un seul client y déjeunait, un Asiatique habillé d'un cuir noir, comme Van. Était-ce son fantôme ? J'en avais l'estomac noué. Je me suis éloignée à toute vitesse, avant d'être la proie de folles imaginations.

Les institutrices de mon école étaient toutes désarçonnées par mon comportement depuis que Van aimait ailleurs. Je donnais des ordres contradictoires, je soulevais des problèmes où il n'y en avait pas, je ne réglais pas ceux qu'il y avait, je convoquais des assemblées sans avoir de communication à faire, simplement parce que je soupçonnais tout le monde d'être au courant au sujet de Van et d'Ulma et de rire dans mon dos : je voulais vérifier de visu qu'il n'en était rien, mais je n'en étais pas moins certaine qu'on jasait et qu'on épiait sur mon visage les signes d'une crise d'hystérie. Plusieurs fois, j'avais eu une altercation avec l'une des instits, qui paraissait insinuer que je n'étais plus en état de diriger correctement l'établissement, et j'avais failli lui lancer à la figure un presse-papiers.

J'ai autant de force qu'un convalescent amoindri par une affection aiguë. Quand donc y aurait-il du mieux ? Cette descente aux enfers n'aurait-elle pas de fin ?

Je ne peux même pas fuir dans le sommeil. Tous les soirs, je suis K.-O., je m'allonge sans parvenir à fermer l'œil. Je ne crois pas, comme Laure, que le spectre de Van est dans les parages, mais mon sang se glace quand je touche l'oreiller sur lequel il posait sa tête. La scène de l'accident me revient. C'est un cauchemar qui me poursuivra nuit après nuit. Je souhaiterais presque être emprisonnée et purger ma peine. Serais-je moins poursuivie par ce cauchemar au bout de cinq ou six ans de prison ?

Devant le juge, je m'étais enfermée dans un silence obstiné, comme si j'étais trop sonnée pour mesurer la gravité de ce que j'avais commis. Je n'avais pas conscience d'être dans le bureau d'un magistrat. Ce qu'on me disait me parvenait assourdi, je n'entendais pas et je me demandais pour quelle raison on me retenait là.

Suis-je une meurtrière ? N'avais-je pas cédé à des pulsions homicides apparues dès que Van avait violé la promesse de ne jamais se détourner de moi ?

Qui aurait prévu que je serais un jour la protagoniste d'un drame passionnel ? Mais justement, la thèse de mon avocat est qu'il s'agit d'un stupide accident, non d'un drame passionnel. Je dois aller dans son sens, ne rien dire qui donnerait des armes à l'accusation.

Je me ruine la santé en ne dormant pas, en mangeant à peine, mais surtout en broyant du noir. Je ne vois pas d'issue favorable à ce qui me mine. Je suis prise comme un rat. On m'enverra faire pénitence dans une cellule, où j'aurai tout le loisir de repasser les péripéties qui ont conduit au désastre.

Même mes voisins, je les suspectais de colporter des commérages sur mon compte. Les gens se réjouissaient de mon malheur, me disais-je. Chaque fois que je croisais ma voisine de palier, elle me semblait avoir un sourire moqueur. Était-ce donc si évident aux yeux de tous que je n'étais plus pour Van l'Unique ?

Depuis que j'ai renversé Van, je me traîne comme un zombi. Si je ne pensais pas à Laure, je serais presque indifférente à tout. Ma vie est fichue. Je suis terrassée sous le coup d'une de ces douleurs dont on ne se relève pas.

Si je m'étais confiée à quelqu'un, j'aurais peut-être dédramatisé. Mais je ne m'en étais ouverte ni à Hugues ni à Rachid, je serrais les dents, c'est ainsi que je m'étais mise à haïr Van, il me reléguait au rang des figurants, il n'était plus ce mari, certes imparfait, mais qui n'avait de réel amour que pour moi.

Ulma est-elle dévastée par la mort d'un frère aimé plus qu'elle-même ? Suis-je pour elle une vieille sorcière qui lui veut du mal et a tout détruit ? Ou me plaint-elle comme on plaint une désespérée ? Témoignerait-elle contre moi si je comparaissais en jugement ? Ou dirait-elle que j'ai perdu la tête en lisant les rapports de M. Grimaldi ? Je ferais figure de compagne captative, tandis qu'elle n'aurait jamais cherché à mettre le grappin sur Van. Comment me défendrais-je devant un tribunal ? Invoquerais-je ma vulnérabilité ? C'est l'excuse des âmes faibles. J'ai encore assez de respect de moi-même pour ne pas m'en servir.

Laure me répète qu'elle sera de mon côté si cela tourne mal pour moi. Elle me soutiendra à toute force. Elle déclarera que Van et moi nous formions un couple uni, que je n'avais aucune raison de le tuer, que si elle ne m'avait plus près d'elle, elle serait sur la mauvaise pente. Elle implorera la clémence, personne ne sera insensible à ses pleurs.

Voilà ce que j'ai noté en quelques semaines. Van trouverait-il que je me pose trop en victime ? Ferais-je lire ces pages à Laure afin qu'elle sache ce que j'ai enduré ? À Hugues et Rachid afin qu'ils soient comme les amis de Job, venus apporter un apaisement ? Ou bien les remiserais-je dans un tiroir ? Contrairement à Van, je n'avais pas une foi inébranlable dans le pouvoir des mots. Mais ces jours-ci, je me suis rendu compte de l'effet salutaire de l'écriture et d'un travail sur soi. Je rentre en possession de moi-même. Que sera demain ? Croupirai-je en prison ? Même si je suis laissée en liberté, trouverai-je le repos ? Le temps m'aidera-t-il à endiguer les vagues de chagrin qui me submergent ? Porterai-je, jusqu'à la fin de mes jours, le poids de mon crime ? Serai-je, à quarante-cinq ans, une femme qui n'attend plus rien de l'existence ? Une pitoyable veuve vivant sa solitude comme un châtiment ?

Je redoute les mois à venir. Je ne serai pas tout de suite fixée sur mon sort. Je ferai le dos rond tout en n'ignorant pas que je ne m'en tirerai pas à bon compte. Le verdict sera sévère. Je me mets déjà dans la peau d'une condamnée. Le plus dur, ce serait de ne plus pouvoir prendre soin de ma fille. Que deviendrait-elle si j'étais sous les verrous ? J'ai grand-peine à réfléchir sans m'affoler. À la seule idée que Laure n'aura plus ni père ni mère, je me ronge d'inquiétude et je me reproche amèrement d'avoir fait un de ces gâchis qui auront des conséquences sur sa jeunesse. Comment réparer l'irréparable ? Si seulement je pouvais revenir en arrière, vers ces années où Van et moi nous étions de jeunes mariés, où il me disait qu'il mourrait dans mes bras et que, comme les Hindoues qui ne survi-

vaient pas à leur époux, je le suivrais dans l'au-delà ?
Et maintenant, je l'ai tué sans le vouloir. Est-il mort
en me vouant au remords éternel ?

Ces phrases jetées sur le papier ne sont pas de la
littérature. J'y ai mis tout ce qui me déchire, tout
ce qui me reste une fois que j'ai enterré Van. Les
ombres de la nuit se sont étendues. Assez griffonné,
c'est l'heure de me coucher, même si je ne fais que
me tourner et me retourner dans mon lit. Je verrai au
petit matin dans quel état je serai. Si l'atroce tristesse
qui m'étreint desserre un peu son étau, je le devrai
à ce débroussaillage. Hugues a été de bon conseil.
L'écriture me purge de mes rancœurs. Moi qui n'ai
jamais trop fait retour sur moi-même, je tire profit de
cet exercice. Peut-être que je fournis des verges pour
me faire fouetter, peut-être que cela ne sert à rien de
mettre noir sur blanc un plaidoyer qui n'arrachera de
larmes à personne. Mais j'aurai au moins tenté d'être
véridique. J'aurai au moins consigné ce qui m'a per-
due, sans tremper ma plume dans le poison. Ces pages
m'ont permis de ne pas couler. Je suis loin, très loin
d'être en voie de guérison. Mon mal est profond, il ne
s'en ira pas de sitôt. Les prochains jours, continuerai-je
à couvrir ce cahier de notes, ou estimerai-je avoir
déjà tout dit ? *Chi lo sa ?* Je ne suis pas de ces dia-
ristes que l'introspection fortifie. En creusant avant
dans mon for intérieur, je ne me délivre pas totalement de mes obsessions, mais je constate que je suis
moins sous tension. Voilà une bonne raison pour ne
pas lâcher mon stylo. Oui, demain, je me remettrai
à cette table pour écrire encore.

Ulma

Avant, j'aimais la tombée du soir. C'était le moment où je guettais la venue de Van. Je portais presque toujours des robes noires, parce que lui aussi était souvent tout de noir vêtu. Parfois, j'éteignais les lampes et allumais des bougies pour que l'appartement soit dans un beau clair-obscur. D'autres fois, je mettais les disques de Carlos Gardel que Van m'avait donnés. Quand il était en retard, je me disais aussitôt qu'il ne voulait plus me voir. Je n'étais que suspens, je ne pouvais fixer mon attention sur quoi que ce soit, je dressais l'oreille, dans l'espoir d'entendre le bruit de ses pas. Si le téléphone sonnait à cette minute, je craignais que ce ne soit lui qui appelle pour se décommander. Quand il arrivait enfin, j'étais aussi joyeuse qu'une enfant tranquillisée. Je ne parlais pas beaucoup, je l'écoutais religieusement, même lorsqu'il ne disait rien d'important. Il m'apportait des récits de voyage, il me lisait des poésies qui m'étaient inconnues. Il m'emmenait au cinéma, au théâtre. J'ai découvert grâce à lui les films de Sokourov, les pièces de Lars Norén. Souvent, nous faisions de longues promenades qui nous conduisaient de chez moi jusqu'à la porte des Lilas.

Nous marchions sans presque échanger une seule parole, heureux, plus qu'heureux, d'être ensemble. Nous étions en communion de sentiments, il prévenait mes désirs, je devançais les siens, nous nous envoyions des messages toute la journée, nous ne vivions que dans l'attente de nos rendez-vous. Nous nous retrouvions dans des quartiers excentrés, nous allions jusqu'à Billancourt, nous changions d'itinéraire quand nous quittions le sixième arrondissement et mettions le cap sur les jardins de l'Arsenal, nous écumions les librairies, en sortant avec des brassées de nouvelles publications. Van achetait plutôt des rééditions de classiques que des romans récemment parus. Il avait peu de goût pour les fictions contemporaines, peut-être parce qu'il devait corriger des manuscrits indigents et qu'il avait eu à transiger avec des écrivains à l'épiderme sensible. Cela le fatiguait plus de ménager ces gens de lettres que de faire des corrections jusque tard dans la nuit, certains étaient comme des roquets quand il leur rendait leur copie surchargée d'annotations, d'autres avaient des airs avantageux quand il leur faisait remarquer qu'ils étaient brouillés avec la grammaire. « Quelles plaies ! » disait Van, qui avait quand même trois ou quatre auteurs pas trop insupportables. Avec eux, il avait du plaisir à travailler, encore que, depuis quelques années, il n'exerçait plus son métier de bonne grâce. Il ressentait tant de lassitude qu'il n'était pas à ce qu'il faisait. Ses passages à vide duraient des semaines, tout lui semblait alors ou ardu ou fadasse.

Ma mère prétend qu'il était à l'âge des remises en question. Il se serait entiché de n'importe qui. Pourquoi pas de moi ? Je passais par là, je n'étais pas vilaine, j'avais du chic, il ne savait pas que j'étais un peu frappée, et peut-être que, s'il l'avait su avant de me rencontrer, il n'en aurait été que davantage séduit. Il était du genre à se compliquer la vie. Les hommes comme lui, après avoir fait une fin, se sentent prisonniers de leur train-train et saisissent la moindre occasion de s'en évader. Je n'étais pour lui qu'une petite friandise, il se serait lassé de moi à la longue, une fois qu'il aurait appris à me connaître et que le charme aurait été rompu. Je n'aurais plus été une enchanteresse.

Justine ne comprenait pas ce qu'il me trouvait. Pour elle, je ne suis pas désirable. Je n'ai pas, comme elle dans sa jeunesse, d'attrait sensuel. Je suis, d'après elle, d'une réfrigérante cérébralité. J'analyse tout, je manque de spontanéité, je décourage les meilleures volontés, je prends souvent les choses en mauvaise part, surtout lorsque c'est elle qui me chambre. Bon sang ne pourrait mentir : mon père était d'un accès tout aussi difficile. Il n'avait pas le complexe du colonisé, mais il ne tolérait pas qu'on soit d'une liberté excessive avec lui. Il détestait les petits rigo- lards qui vous tapent dans le dos ou vous poussent du coude en riant de toutes leurs dents. Il avait tou- jours l'air de se retenir pour ne pas leur dire : « Nous n'avons pas gardé les cochons ensemble. » Il n'avait pas bon caractère et il piquait une colère chaque fois qu'on lui répondait cavalièrement. C'était très déli- cat d'être de ses intimes, elle y allait sur la pointe des pieds, elle se surveillait, elle qui, ordinairement, disait tout ce qui lui traversait l'esprit. Il ne met- tait pas les gens à l'aise, il ne tenait jamais de pro- pos raides, contrairement à Fred. Il était d'une gravité imposante, sans être imbu de lui-même, il se faisait respecter, sans avoir des façons d'adjudant, il produisait une vive impression sur tout le monde, rien qu'en apparaissant, il avait, comme moi, une contenance hautaine, seulement, lui ne se prenait pas au sérieux. Je suis la caricature de ce qu'il y avait de meilleur en lui. Il ne m'a légué que ses défauts. Je suis ombrageuse, dès qu'on me contredit j'entre dans une rage muette, je n'ai pas un sou de sociabilité, alors que je suis entourée de mannequins qui ne fuient pas les mondanités. Je suis devenue la plus proche collaboratrice d'un styliste de renom, je gagne un argent fou, j'ai des habits magnifiques, tandis qu'elle frappe toujours à la porte des services sociaux pour recevoir des subsides. Nous ne sommes plus du même monde. Je côtoie du beau linge, elle taille une bavette avec des concierges et des ménagères qui se nourrissent de sardines en boîte. Son appartement de la rue Rouvet est de plus en plus délabré, Fred est parti depuis longtemps, il a disparu en ne lui laissant même pas trois lignes pour expliquer les raisons de son départ. Elle s'est réveillée un beau jour sans mari, avec des dettes à éponger. Elle a bien eu quelques aventures, qui se sont vite terminées. De toute manière, les vieux qui se glissaient dans son lit étaient des beaufs. Entre ses quarante et ses cinquante ans, elle n'a rien eu de gratifiant. Sa chiromancienne lui avait pourtant assuré que les astres ne seraient plus contre elle lorsqu'elle aurait la quarantaine. Elle l'a crue jusqu'à ce que Fred la plaque. C'était l'abomination de la désolation. Lui faire ça, à elle ! Après cinq années où elle l'avait materné, s'était échinée à lui donner plus que ce qu'il réclamait, en entamant le petit capital qu'elle avait réussi à amasser, et même en s'endettant, bien qu'elle se soit juré de ne plus prendre de crédit. Elle voulait tellement avoir une maison comme on en voyait dans les magazines de déco, un compagnon comme on en voyait dans les films romantiques, elle n'avait plus l'âge de vivre avec trois francs six sous, aux côtés d'un je-m'en-foutiste, et elle pensait que Fred, malgré sa balourdise, était fiable, qu'il ne la laisserait jamais tomber. Ne lui devait-il pas d'avoir un foyer, lui qui, à trente-quatre ans, habitait encore chez sa mère et ne pouvait y inviter ses copains, lui qui fréquentait les peep-shows et se payait de temps à autre une strip-teaseuse ? Ne lui devait-il pas de s'être décrotté ? De ne plus trembler devant son patron, car elle lui avait montré comment être moitié lèche-bottes, moitié fine mouche ? Il ne se rappelait pas tout ce qu'elle avait fait pour lui.

« Il s'est taillé sans même emporter ses affaires », disait Justine. En général, il rentrait vers huit heures du matin. Et ce satané vendredi, puis les jours suivants, elle l'avait attendu, attendu… Elle avait téléphoné à la police, aux hôpitaux, avant de se rendre à l'évidence : il avait bel et bien disparu. Aucun signe ne présageait cette fuite. Il était comme d'habitude, un gros nounours content d'avoir de bons repas, d'être au chaud et de faire des haltères. Il avait parfois ses nerfs, mais cela lui passait vite. Vu de l'extérieur, c'était plutôt elle qui n'en pouvait plus, elle qui semblait prête à le larguer. Elle restait quand même, par peur de vieillir seule. Un Fred un brin bébête, c'était toujours mieux que rien. Qui aurait prédit qu'il lui jouerait un tour pendable en la plantant là ? Elle était si certaine que Fred était un bon bougre, qui avait signé avec elle un contrat à long terme. Elle se faisait bien échauder !

Elle mettait dans le même bain Fred et ses ex. Tous des menteurs, tous des bouffons. N'y avait-il sur terre aucun chevalier servant ? Elle s'était retrouvée, à quarante-six ans, sans personne auprès de qui chercher un peu de réconfort. Elle ne serait plus qu'un de ces nouveaux pauvres qui comptent sou par sou. Elle pourrait refaire de l'intérim. Mais à l'âge qu'elle avait, qui l'embaucherait ? Elle ne savait pas trop où avait filé le fric qu'elle avait eu après la mort de Lily. Elle n'avait pas vécu sur un grand pied, elle avait plutôt été économe. Bien sûr, elle s'était acheté de la came, mais seuls les pères la morale l'attaqueraient pour cela. Elle n'avait déjà pas grand-chose de grisant dans sa vie. Et elle n'était pas comme moi, pour qui la lecture remplaçait toutes les drogues. Elle ne bouquinait que lorsqu'elle tombait par hasard sur un de ces vieux policiers de Wilkie Collins, qui racontait d'effroyables histoires en ménageant bien ses effets pour tenir son lecteur en haleine. Sinon, elle ne lisait rien, pas même les journaux. Cela lui servirait à quoi d'apprendre que la Bourse dévissait, qu'un typhon menaçait l'Indonésie, que l'Iran se dotait du nucléaire, que les droits de l'homme étaient bafoués en Chine, que le sang coulait au Soudan, que les républicains américains avaient pris une raclée aux élections, que les riches étaient chaque jour plus riches et les chômeurs de plus en plus nombreux ?

Jusqu'à ses trente-cinq ans, oui, pour ne pas passer pour une cruche auprès de ses amis, elle s'informait, elle écoutait les nouvelles à la radio, elle épluchait les journaux anti-giscardiens. Elle était de toutes les manifs, elle discutait de géopolitique, elle avait des avis sur les sénateurs les moins illustres, elle se sentait plus que concernée par les virages à droite des partis de gauche, elle s'indignait des injustices, elle idolâtrait les défenseurs de la veuve et de l'orphelin... Ce n'était pas qu'elle ait maintenant un cœur dur ou qu'elle ne s'intéresse plus à rien, mais elle pensait d'abord à ses intérêts. Il était bien révolu le temps où elle donnait toujours une pièce aux clochards, où elle pleurait sur l'Éthiopie ravagée par les sauterelles, où il était facile de l'avoir au sentiment. Elle en avait trop vu pour croire encore à un monde solidaire. Elle avait été laissée sur le bord de la route, personne ne lui avait tendu la main, alors elle non plus ne faisait plus de B.A. par bonté d'âme. Que celui qui n'est pas individualiste lui jette la première pierre ! Sa philosophie désormais était de grappiller tout ce qu'elle pouvait, et bonsoir l'altruisme ! Charité bien ordonnée commence par soi-même. Elle n'avait pas d'argent de reste pour le distribuer de tous côtés, elle n'était plus jeune, elle avait mis ses idées élevées au fond de sa poche. Quel Samaritain l'avait secourue quand elle était aux abois ? Je l'avais bien aidée, mais c'était si humiliant d'être une mère qui recevait une aumône de sa fille. Elle, si fière, n'aurait pas dû s'avilir de cette manière. Elle aurait dû plutôt aller mendier dans la rue.

Et maintenant, elle va devoir vendre son appartement. Il est en trop mauvais état pour qu'elle en tire une grosse somme. Le plafond est lézardé, les murs pleins de taches d'humidité, les fenêtres ne ferment plus, le lino gondole, la chaudière est en panne, les robinets gouttent, la chasse d'eau des W.-C. à broyeur ne fonctionne plus que par intermittence. Une fois qu'elle aura cédé l'appartement à bas prix, elle aura juste de quoi rembourser les dettes qui l'étranglent et louer une chambrette où vivre jusqu'à ce que la roue tourne. Elle s'est inscrite dans une agence matrimoniale. Qui sait ? Elle rencontrera peut-être un jeune et riche retraité. Elle a soixante ans, mais de beaux restes. Elle ne demande pas la lune, elle voudrait juste partager l'existence de quelqu'un qui ne plaisante pas avec les choses de l'amour. Les dix dernières années, elle n'a eu que des amants ou trop vieux ou trop fauchés. Et aucun ne parlait de se mettre en ménage avec elle. Ils se servaient d'elle, ils lui soutiraient un ou deux billets, certains lui disaient même qu'elle était décatie ou qu'elle leur cassait la tête avec ses bavardages. Ils venaient de temps en temps, quand ils avaient quelques heures de libre ou quand ils voulaient se faire inviter au restaurant. Un gueuleton, une partie de jambes en l'air, et ils s'en allaient, parfois même au milieu de la nuit, en prétextant qu'ils dormaient mieux seuls. La poisse lui colle décidément à la peau. Quelle vie de chien elle a eue ! Elle mérite une médaille pour avoir tout supporté sans devenir dingue. Elle s'achemine vers la vieillesse en n'ayant nada, seulement des peines de cœur et des galères d'argent. Une telle poisse, c'est inhumain ! Elle en a plein le dos de ses échecs. Encore un et elle se fera hara-kiri ! À soixante ans, elle est quasiment à la rue, car lorsqu'elle aura liquidé ses crédits, elle n'aura presque plus rien sur son compte.

Qui lui louera même un petit meublé sous les toits ? Lequel de ses amants acceptera de se porter caution pour elle ? Il n'y en a pas un pour rattraper l'autre.

J'ai beau jeu de la juger sévèrement, j'ai ce qu'il me faut. Van était prêt à tout pour moi, des hommes du grand monde me tournent autour. Je m'offre même le luxe d'avoir un psy. Elle reconnaît certes que c'est sa faute si j'ai eu une enfance pas vraiment rose bonbon. Mais Lily m'a couvée, je n'avais pas à exiger en plus d'avoir une maman prévenante. Mon docteur Sullivan ne m'a-il pas dit de ne pas rejeter tous les torts sur elle ? Elle a été si maltraitée par la destinée qu'elle est excusable.

Au final, moi non plus, je n'ai pas eu ce dont je rêvais. Une année avec Van et tout s'est achevé par une tragédie. Elle m'a inlassablement répété que je ne devais pas entrer en relation avec mon demi-frère. Je n'ai pas tenu compte de ses avertissements. J'ai mis à mal l'harmonie d'une famille. Van est mort à cause de moi. Elle a de la compassion pour sa femme, qui est certainement passée par de durs moments. Je suis une briseuse de ménage. Elle, au moins, n'a jamais semé la désunion dans un couple. Je me suis rendue coupable d'un inceste qui aurait révolté mon père. Il a engendré deux monstres. Je ne suis plus une gamine, Van était assez âgé pour savoir ce qui est bien et ce qui ne l'est pas. Mais nous n'avions plus aucun sens moral. Si je m'étais abstenue d'écrire à Van, il serait resté fidèle à sa femme. Que de dégâts j'ai faits ! Par égoïsme, parce que je suis folle à lier et que je ne peux détacher mon esprit des circonstances liées à ma naissance. À ma place, elle se couvrirait la tête de cendres, elle irait pieds nus se prosterner devant l'autel, en signe de repentir. Mon docteur Sullivan me donne trop facilement l'absolution. Je proteste de mon innocence, mais elle se charge de me mettre en accusation. J'ai attiré Van dans mes filets, j'ai manigancé pour éclipser Lou. Van et moi avons cédé à de bas instincts. Nous étions conscients que notre amour était contre nature, mais nous dérogions allègrement aux conventions, nous étions tous deux dans notre bulle, rien ne nous en aurait fait sortir. Elle m'a pourtant dit que c'était un terrain glissant. Il était à prévoir que la femme de Van n'avalerait pas la pilule sans broncher. Elle a eu bien raison de faire cesser ces honteuses escapades. Sa fille doit se faire une triste idée de moi. J'ai habilement manœuvré pour que son père soit en mon pouvoir. Dès le début, elle, Justine, a vu que je récolterais ce que j'avais semé, elle a sonné l'alarme, mais j'ai suivi ma pente, qui m'inclinait vers le mal. Je suis une de ces sirènes qui entraînent les hommes à leur perte. Ce n'est pas Lou qui devrait être jugée, mais moi. J'ai agi en voleuse de mari, j'ai vampé Van. Je lui dirais que non, que c'est lui qui a donné un autre tour à nos relations. Je ne m'en tirerai pas ainsi. Van et moi aurions pu nous aimer d'un amour chaste. Je n'aurais pas fait d'ombre à Lou, il n'aurait été pour moi qu'un frère aimant. Mais je suis insatiable dans mes demandes affectives. J'ai fait de lui ma chose. Sa femme est bien bonne de m'avoir invitée à l'enterrement. Elle devrait plutôt me pendre haut et court.

Justine n'en finissait pas de m'éreinter : Je suis une de ces baby dolls dévorées par l'envie d'avoir tous les mâles à leurs pieds. Mais le sort m'a été contraire.

Van est mort, j'ai perdu la partie. Je suis aussi seule qu'elle, maintenant. Et j'ai, de plus, un poids sur la conscience. Elle m'avait bien dit qu'il ne fallait pas réveiller le chat qui dort. Je lui ai désobéi. Je n'en ai fait qu'à ma tête, sans penser une seconde que j'allais jeter le trouble dans une famille jusque-là sans histoire. J'étais d'autant plus cruelle que j'avais un air de ne pas y toucher, pour mieux tendre un piège à Van. Elle, a lu dans mon jeu dès le départ. Je voulais Van tout à moi. Je prenais ainsi ma revanche sur mon père, aux yeux de qui je n'avais pas d'existence. Quand l'orgueil blessé s'en mêle, on peut s'attendre au pire. Moi, née d'une passade adultère, j'entretiens tant de ressentiments que je suis comme un scorpion qui frappe par traîtrise. Je n'ai écouté que mes désirs pervers. Pauvre Van ! Ma lettre aurait dû le mettre en défiance. Telle qu'elle me connaît, j'ai écrit une lettre qui saisit aux tripes son destinataire. J'ai fait vibrer chez lui la corde paternelle en me donnant pour une femme enfant. Je ne suis pas du tout cette petite fille en manque de câlineries qui vole vers son frère et se cramponne à lui comme à sa dernière bouée. Je suis moins fragile que je ne le laisse croire. J'ai ému Van en jouant de ma fragilité. En réalité, je suis plus résistante que l'acier trempé. À preuve, la mort de Van ne m'a pas anéantie. Je n'en tire pas une leçon qui m'amènerait à avoir moins de complaisance envers moi-même. Je porte pourtant une lourde responsabilité dans toute cette affaire. L'amour, si c'en est, que j'ai voué à Van, a été pour lui une source de malédictions. Il a payé de sa vie les heures de volupté qu'il avait eues avec moi. Nous nous sommes aimés en faisant mystère de notre intimité, mais Lou ne s'est pas laissé abuser.

Docteur Sullivan, vous rapporterais-je tout ce que ma mère m'a dit ? Elle ne m'épargnait aucune de ses cinglantes remarques. Une nouvelle fois, alors que j'aurais eu besoin d'une présence amie, elle ne faisait que m'enfoncer la tête sous l'eau. Elle était d'une telle férocité que j'en restais pétrifiée. Je ne trouvais pas de parade à ces coups de dent. Si Lily était encore vivante, je me serais réfugiée auprès d'elle, elle ne m'aurait pas laissée seule face à mon désarroi. Je ne suis peut-être pas anéantie, mais je suis près de m'effondrer. Mes nuits sont peuplées de rêves agités où Van, devant les trois juges de l'enfer, dit, comme Justine, que j'ai fait de lui mon jouet, où Lou déterre son cadavre et arrache de son doigt l'alliance qu'il porte, où mon père, du haut d'une tribune, me couvre d'opprobre en rappelant que je ne vaux pas mieux que ma mère, où vous, docteur Sullivan, vous faites chorus avec lui en vous servant de ce que je vous ai raconté pour jeter le blâme sur moi.

Depuis un mois, je ne vis plus, je suis retournée plusieurs fois à Bobigny. Dans le calme du cimetière, je me sens moins misérable. Sinon, je me cloître chez moi, je classe les livres et les disques que Van m'a donnés. Je ne lis pas, n'écoute pas de musique. Sans mon frère, le quotidien me paraît n'avoir ni rime ni raison. Après une année qui m'a apporté des douceurs, je ne suis plus rien. Je ne tiens pas Lou pour une méchante femme qui m'a enlevé Van, elle ne doit pas être moins malheureuse que moi, et elle risque d'avoir des démêlés avec la justice. Je me dis que Justine n'a peut-être pas tort en m'imputant la faute dans ce qui est arrivé. Je me dis que Van et moi n'aurions pu dissimuler plus longtemps notre passion interdite. Je me dis qu'un jour ou l'autre nous aurions eu à rendre des comptes, pour avoir bravé l'opinion. Je me dis que tout m'a été repris et que j'ai été injustement châtiée. Je me dis qu'il me faut faire appel à ce que vous, docteur Sullivan, nommez la résilience, ce ressort qui permet de faire face avec courage. En aurais-je un peu ? Il me semble parfois entendre la voix de Van, il me semble parfois le voir quand je marche le long des allées du Luxembourg, il me semble qu'il est assis à côté de moi quand, certains dimanches soir, je me force à sortir et à aller au cinéma, il me semble, il me semble... Mais Van n'est plus parmi nous. Mon appartement me paraît si vide depuis sa mort. Les ouvrages qu'il a laissés chez moi, ses paquets de Camel, les robes que je mettais les jours où il venait, les draps dans lesquels nous nous sommes couchés... J'ai des larmes de sang lorsque je touche toutes ces choses qui me rappellent les instants que nous avons partagés.

Je n'avais pas cherché en Van mon double sublimé, mais nous nous ressemblions par nos handicaps, par nos faiblesses, et aussi par ce qui, en nous, était réfractaire aux influences. Nous n'étions ni des amants dont on dit qu'ils se flattent en s'aimant, ni un frère et une sœur dont l'amour n'aurait été que l'échange de deux fantaisies. Je n'étais pas aveugle à ses faux-fuyants, il savait bien que je n'étais pas une perle rare, quoiqu'il m'ait toujours assuré le contraire. Que reste-t-il de notre année de complicité ? Van a illuminé ma vie en y passant comme un météore. Avons-nous été des égocentristes qui ne se souciaient pas du mal qu'ils feraient ? Ou avons-nous obéi à ce contre quoi nous ne pouvions rien ? Notre amour était-il vil, parce que nous contrevenions à la loi morale ? Suis-je un succube, comme le croit ma mère ? Ai-je tout fait pour envoûter Van, au point qu'il était oublieux de ses devoirs de mari et de père ?

Je suis dans un trou noir. Je ne sais plus à quoi m'accrocher. Je suis comme une coquille de noix secouée par des bourrasques. Demain, je ne serai pas moins dans ce piteux état, mais je ne me confierai plus à vous, docteur Sullivan. J'ai dit tout ce que j'avais à dire. Parler encore ne ferait pas revivre Van. Alors, mieux vaut enfouir au plus profond de moi ce qui subsiste des derniers mois. Peut-être irai-je de plus en plus mal, peut-être ma mère finira-t-elle par me faire perdre le nord en m'accusant de tous les maux, peut-être ne vivrai-je qu'en m'agrippant au passé, peut-être Van sera-t-il toujours cet homme qui m'a appris le sens d'une passion à nulle autre pareille, peut-être personne ne viendra-t-il après lui pour me redonner la force de m'ouvrir à de nouvelles émotions, peut-être tout s'est-il arrêté avec sa mort, peut-être serai-je, les prochains mois, tel un radeau flottant au gré des eaux, mais je ne m'en remettrai plus à vous comme à un guérisseur qui aurait le pouvoir de me sauver. Rideau ! Vous n'aurez jamais eu ces aveux, je ne les aurai faits qu'à moi-même. Je me suis ainsi affranchie de ce qui me rongeait. C'est déjà un pas en avant, un grand pas. Sans Van, je n'aurais pu me libérer de ma dépendance envers vous. Il me faut persévérer dans cette voie. J'espère qu'au bout brillera une petite lueur.

Van

Le plus rageant, quand on est mort, c'est de s'apercevoir qu'on ne peut rien rattraper. J'aurais tant voulu dire à Lou combien elle comptait pour moi, à Ulma qu'elle était incomparable, à Laure qu'elle irait loin, même sans moi. Je ne l'ai pas fait, ou alors maladroitement, si bien que maintenant je le regrette. Cela n'aurait pas modifié la tournure des événements, mais du moins les trois femmes qui m'ont aimé se seraient souvenues de moi comme d'un personnage démonstratif. Quand l'Austin de Lou m'avait renversé, j'avais vu ma vie défiler et, pendant une fraction de seconde, il m'était apparu qu'elle n'aurait pu être plus remplie. Je m'étais acquitté de ma tâche ici-bas, je n'avais été ni un minus, ni un mari trop détestable, ni un père trop embêtant. D'aucuns trouveraient que c'était peu. Pour moi, c'était beaucoup. Comme j'avais grandi en n'ayant que ma mère à mes côtés, je prétendais être un chef de famille qui accomplissait sa mission sans défaillir. Si Ulma n'était pas entrée dans la danse, Lou n'aurait eu à me reprocher que d'être un papillon. Notre couple résistait à l'épreuve du temps, les liens qui nous unissaient étaient solides, elle était mon premier véritable amour, j'étais celui avec qui, à vingt-trois ans, elle avait l'intention de vivre jusqu'à ce que la mort nous sépare. Lou et moi avions parfois été au bord du divorce, mais nous nous étions souvent réconciliés sur l'oreiller. Et jamais je n'aurais accepté que Laure soit élevée loin de moi.

Je menais donc une vie plutôt tranquille. J'étais à mille lieues d'imaginer qu'un jour ma mère, disparue trop tôt, ressusciterait à travers une demi-sœur. Je n'aurais pas adoré Ulma si je n'avais projeté en elle l'amour que j'avais pour celle qui m'avait enfanté. Le Vietnam faisait un retour en force. Ce qui avait été relégué à l'arrière-plan resurgissait. Je n'étais plus un jeune homme fougueux, mais je n'avais pas l'esprit fossilisé. Je m'embarrassais de métaphysique, sans que cela m'inhibe complètement. Je n'avais jamais réellement eu la nostalgie de mon pays natal. Je me proclamais apatride et étais un farouche partisan de l'internationalisme. Mes livres de chevet ne sentaient pas le terroir, ils étaient écrits par des génies qui ne se faisaient pas gloire d'appartenir à telle ou telle nation. Aucune frontière ne les arrêtait, même si, dans certains cas, ils n'avaient pas eu à sortir de leur jardin pour connaître le monde. Paris était (jusqu'à quand ?) l'endroit où il n'y avait pas eu d'émeutes raciales. Mais la montée de l'extrême droite laissait augurer ce que les journaux appelaient une *ghettoïsation des minorités*. Je n'étais pas un immigré qui n'avait qu'un pied en France et étais en pleine quête identitaire. Je me posais des questions sur moi en tant qu'individu désadapté, pas en tant qu'exilé qui soupirerait après la joie de retrouver son paradis perdu, le Vietnam.

J'avais fait mes adieux définitifs à Saïgon lorsque ma mère était morte. À mon tour j'ai rangé mon violon, mais je n'aurais pas souhaité être enterré quelque part au Vietnam. Je n'étais plus depuis belle lurette un enfant du pays. Les mois passés, Ulma avait ranimé chez moi des réminiscences de la ville de mon enfance. C'était moins parce que nous étions inépuisables sur ce chapitre que parce que me revenaient des mots tendres en vietnamien. Il m'était doux de dire *yêu em*, « je t'aime », à Ulma dans cette langue que je n'avais plus parlée pendant trente ans et qui me paraissait à nouveau d'une grande musicalité. Sans Ulma je n'aurais pas renoué avec ce qui, en moi, restait, si peu que ce soit, d'Orient. J'en étais profondément remué. Elle incarnait pour moi la vie dans ce qu'elle avait de plus vivifiant, la jeunesse dans ce qu'elle avait de moins arrogant. Sous ses abords froids, elle n'était pas, comme sa mère, sûre de détenir la vérité, sûre que tout un chacun devait se plier à ses volontés. Jamais elle n'avait eu envers moi l'attitude d'une séductrice. C'était de mon fait si nous avions enfreint un tabou en n'étant plus seulement frère et sœur.

Qu'aurais-je pu dire à Lou pour qu'elle ne me vilipende pas ? Que c'était plus fort que moi ? Que les mouvements du cœur ne se commandent pas ? Elle m'aurait répondu que j'avais le démon de midi. Explication qui arrangerait tout le monde et minimiserait la portée de ce qui était advenu. C'était ignorer que je n'étais pas préparé à m'enfiévrer, que les derniers temps j'avais fait mien le mot de Mallarmé : *La chair est triste, hélas ! et j'ai lu tous les livres*. Je n'étais pas ossifié, mais un peu las d'être

qui j'étais, las aussi des gens, de tous les divertisse-
ments. Je n'aurais pas aimé Ulma avec cette passion
frénétique si elle n'avait été la révélatrice de ce qu'il
y avait de plus obscur en moi. Elle ne m'aurait pas
autant aimé si notre gémellité n'avait été parfaite.
Nous étions comme les deux fragments d'un même
vase qui s'ajustaient merveilleusement l'un à l'autre.

Je suis fautif envers Lou et Laure, surtout envers
Lou, puisque, à cause de moi, elle encourt une peine
et que, même si elle y échappait, elle serait en proie
à la détresse. Que ne donnerais-je pas pour la sortir de cette passe dangereuse ? Elle n'a pas eu une
vie difficile, de sorte qu'elle est mal armée pour
affronter la situation présente. Elle a certes une
mère contre qui elle est en guerre, mais en gros
elle a été gâtée par le sort. Quand je ne dépassais
pas la mesure, elle ne faisait pas un monde de tout.
Nous étions si différents que notre mariage aurait
pu être celui de la carpe et du lapin, mais, aussi
étonnant que ce soit, nous nous convenions, et ce
n'était pas parce que nous nous étions accommo-
dés l'un de l'autre, ni parce que nous faisions des
concessions mutuelles. Je n'avais aucun doute que
nous vieillirions ensemble. Elle non plus, probablement. Notre fille ne rêvait pas mieux que d'avoir
des parents vivant en bonne entente, contrairement
à ceux de ses camarades qui étaient comme chien
et chat. Aussi, malgré de fréquents couacs, Lou et
moi faisions notre possible pour que nos querelles
ne deviennent pas une affaire d'État.

Je croyais être à un âge où mon chemin était tout
tracé. J'étais le mari de Lou et le père de Laure, je
ne demandais rien de plus. Mon métier n'était pas

trop ingrat, à certaines périodes je mettais encore de l'application à mon labeur. Sans la lettre d'Ulma, je n'aurais été ni exagérément insatisfait ni vraiment aux anges, je n'aurais pas eu des débats de conscience à résoudre, je n'aurais pas déçu Laure en n'étant plus un père attentif, j'aurais poursuivi, plan-plan, ma route et je serais mort dans mon lit, en vieillard qui serait resté jusqu'au bout avec la même femme.

Au cours de la précédente année, je ne vivais plus que pour Ulma. Je me mentirais si je n'admettais pas que j'avais été sur le point de partir avec elle au loin. J'étais disposé à me démettre de tout et à aller vivre en Polynésie. Le ciel bleu, le Pacifique, Ulma : l'éden sur terre. J'aurais trouvé là-bas un autre emploi, elle n'aurait plus eu à travailler. Je ne lui en avais touché un mot qu'en passant. C'était de la folie que de vouloir m'exiler une nouvelle fois, je ne savais si elle aurait été prête à me suivre, mais je me perdais dans des rêveries où elle et moi étions sur une île presque déserte, où nous ne nous quittions pas une minute, nous qui, à Paris, étions très pris et ne nous voyions que le soir.

Maintenant que tout s'est terminé tragiquement, je me répète que j'aurais dû tout avouer à Lou, ç'aurait été plus loyal. Elle ne se serait pas sentie poignardée dans le dos, elle m'aurait peut-être écouté calmement et nous serions peut-être arrivés a la conclusion que nous n'avions plus rien à faire ensemble. Mais j'avais toujours été un indécis. Mis dans une affreuse alternative, je slalomais entre les écueils afin de ne pas devoir me prononcer. Je ne choisissais pas entre ma femme et ma demi-sœur. C'est ainsi que cela s'est envenimé. Lou était blessée dans sa fierté. Il ne pouvait en résulter qu'une catastrophe. Je ne l'aurais pas évitée en rusant avec elle, qui lisait en moi comme à livre ouvert. Je n'étais plus assez jeune pour qu'elle se dise que mon histoire avec Ulma était une amourette, qui ne durerait qu'un hiver. Elle devinait que j'étais salement épris. Je ne pensais qu'à mes soirées en compagnie d'Ulma. Je ne pensais qu'à son corps, à sa peau de velours, à ses seins si ronds, à ses baisers qui me chaviraient.

Elle avait changé depuis quelques mois. Elle n'était plus cette jeune femme très réservée qui conservait ses distances. Elle semblait moins secrète, moins écartelée par des conflits intérieurs. Je me targuais d'être pour quelque chose dans ce changement. Elle avait toujours maille à partir avec sa mère qui, tout en lui empruntant une importante somme, la criblait de critiques, car elle n'approuvait pas que nous soyons aussi intimement liés. Ulma ne parvenait pas à se détacher de cette Justine qui avait la dent dure et lui gâchait ce qu'elle avait de meilleur. C'était comme si une part d'elle aurait aimé être une enfant élevée dans le giron maternel, comme si cette mère, peu présente quand elle était petite, avait toute autorité sur elle. Malgré les années, elle n'avait pu mettre une barrière entre elle et celle qui se mêlait de ce qui ne la regardait pas, entretenait l'illusion que son amant vietnamien ne l'avait jamais rayée de ses papiers, s'était acheté une conduite vers la quarantaine, sans avoir une vie plus conforme à ses aspirations. Elle dépréciait sa fille, l'écrasait, et durant vingt ans l'avait dissuadée de m'écrire, en lui soutenant que je n'aurais que dédain pour elle. Si Ulma

n'avait passé outre à son interdiction, j'aurais continué à être un homme ennuyé de lui-même, qui ne
voyait pas bien comment redonner des couleurs à
ses jours.

Je n'aurai bientôt plus à me justifier, les choses
suivront leur cours sans que je puisse intervenir.
Lou sera peut-être l'objet de poursuites judiciaires,
Laure m'en voudra peut-être comme j'en ai longtemps voulu à mon père, Ulma ne se remettra peut-
être pas du choc. Je laisse derrière moi trois femmes
auprès de qui j'ai appris la signification du mot
AMOUR, amour conjugal, amour paternel, amour
défendu, trois femmes que je n'ai probablement pas
su aimer comme il fallait, puisque ce que je prodiguais à l'une, je le retirais à l'autre, puisque, tout
bien considéré, je n'ai pas été un mari idéal, ni un
père exemplaire, ni un frère parfait. Au moment de
l'accident, ma dernière pensée était que je ne m'en
allais pas le cœur léger, car j'avais des torts envers
Lou et Laure, car j'aurais désiré être avec Ulma
pendant quelques mois encore, quelques mois seulement, même si c'étaient autant de mois de souffrance pour Lou.

Selon le détective qui nous avait pris en photo,
Ulma et moi, nous étions assez impudents. Ma
femme, à la lecture de ses rapports, en avait perdu
son bon sens. Je n'avais pas le sentiment d'outrepasser les bornes, de m'afficher avec Ulma pour la
défier. Je mesurais Lou à mon aune, et je la supposais plus détachée. Nous avions mangé notre pain
blanc, nous n'étions plus d'inséparables tourtereaux.
Mais je ne faisais pas d'elle la risée du quartier en
y emmenant ma demi-sœur, je n'avais pas rompu

notre pacte, qui était de rester ensemble jusqu'à ce que notre fille vole de ses propres ailes. C'était ce qui m'avait retenu de prendre un aller simple pour la Polynésie.

Ulma ne m'avait pas demandé de tout quitter pour elle. Elle n'était pas de ces amoureuses accaparantes qui exigeaient d'être élevées aux nues, n'étaient au comble de l'extase que lorsqu'elles régnaient sur leurs amants. Elle était demeurée une adolescente qui manquait de confiance en soi. Elle n'avait pas une bonne image d'elle-même et ses séjours en clinique psychiatrique lui avaient ôté le peu d'assurance qu'elle avait. À l'inverse de Lou, qui parfois ne doutait de rien, elle appréhendait de mal faire, d'être intrusive, de ne pas répondre à mes attentes, de n'être plus attirante ou de me lasser. Elle me disait qu'elle était habitée par un esprit malin qui la tournait en dérision, lui criant haut et fort qu'elle était une non-valeur. L'esprit malin avait parfois la voix de sa mère, alors elle était encore plus épouvantée, comme quand elle avait cinq ans et qu'elle avait peur du noir. Elle m'émouvait par ce qu'elle avait souvent d'enfantin. Elle se permettait d'être toute abandon avec moi. J'accueillais ses confidences comme si j'étais le premier à les recevoir, et j'étais certain qu'elle s'était rarement exprimée de façon aussi libre. Nos discussions, qui tournaient autour de notre inaptitude à prendre les choses du bon côté, auraient impatienté Lou, toujours encline à l'optimisme. Ulma et moi ne nous regardions pas le nombril, mais nous n'étions pas des cartésiens, capables de concilier le rationnel et ce qu'il y avait de plus viscéral en nous. Je n'avais pas un bandeau sur les yeux, j'étais conscient que notre amour était défendu et que nous en paierions le prix tôt ou tard. Lou a joué le rôle des Euménides. Ulma et moi n'avons eu qu'une année de bonheur, mais une année dont j'ai emporté l'intense souvenir dans ma tombe.

Je n'aurais su dire, avant l'accident, si j'avais encore toute ma tête. J'étais tellement fou d'Ulma que je n'étais plus moi-même. Jamais je n'aurais cru que je serais un jour aussi fou de quelqu'un. J'avais été un homme plutôt mesuré dans ses affections. J'aurais jugé insane tout emballement, je n'étais pas avec Lou comme un jeune chien qui attendait de sa maîtresse des caresses. Mais avec Ulma, j'étais un quémandeur de tendresse. Elle m'avait donné ce que j'espérais, et bien plus. Elle était cette sœur qui avait projeté une lumière incandescente sur mon arrière-saison.

J'avais reconnu en elle ma jumelle, une jumelle au pouvoir magique. L'aimer, c'était, pour moi qui m'étais toujours senti en exil, me découvrir une patrie, n'être plus un étranger en phase avec personne. Nous étions pareils, nous parlions le même langage, nous étions tous deux incertains de notre appartenance à quelque communauté que ce soit, nous avions le même intérêt pour ce qui sortait de l'ordinaire, pour les créateurs restés dans les marges, les poètes qui avaient brûlé leur vie, nous n'en étions pas à notre première histoire d'amour, et cependant, nous éprouvions le vertige des premières fois.

À présent que je suis mort et enseveli, je déroule le fil des faits survenus. Je n'étais pas inflammable, et j'aurais été très surpris si l'on m'avait dit que mon cœur allait s'embraser. J'étais cet homme qui n'avait pas de raison de s'estimer mal favorisé par la for-

tune, cet émigré qui n'avait pas non plus de raison
de faire grief à la France d'avoir été une marâtre,
ce mari qui n'avait guère plus de raisons de ne pas
pardonner à sa femme quelque âpreté, ce père qui
avait de grandes ambitions pour sa fille, quoiqu'il
n'en dise rien, ce citoyen qui n'avait pas une bonne
opinion des gouvernants, quels qu'ils soient, ce correcteur pointilleux, ce lecteur goulu de savoir, mais
gagné par une certaine satiété, ce cosmopolite qui ne
péchait pas par incuriosité, ce Vietnamien qui ne se
rappelait pas bien les légendes de son pays, ce drôle
de pistolet qui lisait *De l'inconvénient d'être né* et,
tout en ayant une grande révérence pour sa mère,
se demandait s'il ne valait pas mieux ne pas naître.
J'étais aussi un fils qui n'avait de son père que de
vieilles photos, sur lesquelles celui-ci ne prenait pas
la pose mais plissait les yeux sans même esquisser
un sourire. Pendant des années, j'avais laissé dormir ces clichés dans un tiroir. Mon père n'était
plus qu'un pâle fantôme, en partant du Vietnam je
n'avais plus repensé à lui. Il était mort loin de sa
famille, et sa vraie famille, c'étaient les camarades
du Parti. Avait-il eu des amantes parmi les maqui-
sardes ? Ou avait-il fait taire ses désirs, car un disciple de Hô Chi Minh ne s'empêtrait pas d'affaires
sentimentales ? L'après-midi d'août où j'avais pris le
premier café avec Ulma, je lui avais dit que mon
père m'était étranger. Je m'étais habitué depuis ma
plus tendre enfance à l'idée qu'il s'était soustrait à
ses obligations. Jamais je ne serais comme lui, jamais
je ne me déroberais à mes responsabilités, jamais ma
fille n'aurait à se plaindre d'avoir un père qui avait
fichu le camp. Rien n'allait confirmer mes dires. Je

n'avais pas fichu le camp, mais je n'étais même pas à moitié là. Dès lors que j'avais rencontré Ulma, j'étais de plus en plus souvent chez elle, j'oubliais Lou, Laure, mes serments. Ulma ne me détournait pas de mes devoirs, c'était moi qui peu à peu m'étais désintéressé de ce qui n'était pas elle, moi qui ne pouvais m'éloigner d'elle plus d'une demi-journée. Depuis longtemps, j'avais perdu le goût des tête-à-tête amoureux, Lou et moi ne nous parlions qu'en mari et femme qui avaient des ennuis domestiques à régler. Elle était celle avec qui j'avais passé vingt ans de ma vie, sans être désenchanté, même si nous n'en étions plus à nous faire des déclarations enflammées, nous lançant au contraire des mots durs parfois. Nous évoquions encore de temps à autre nos plus belles années, lorsque nous parcourions l'Europe et que nous nous promettions de visiter l'Asie. Par ma faute, nous n'étions pas allés à Angkor, et Lou n'avait cessé de me répéter que je ne devais pas me couper de mes racines, qu'il me faudrait me défaire de ma méfiance à l'égard de mes compatriotes et des gens venus d'Extrême-Orient. Je n'avais pas l'impression de leur être si hostile. J'en avais bien fréquenté quelques-uns, mais aucun n'était devenu un ami. Je me hérissais quand ils citaient trop souvent le nom de Saïgon ou racontaient par le menu leur voyage annuel au Vietnam. J'aimais mieux les déracinés, comme Rachid, qui n'était jamais retourné à Oran, ne savait plus un mot d'arabe mais n'avait pas son égal dans le maniement du français. J'aimais mieux les éternels émigrants qui, comme Hugues, reprenaient à leur compte la phrase de Louis-René des Forêts : *Si contraire à sa nature est de trouver un*

*point d'ancrage où jouir d'un repos bien gagné qu'il
s'empresse de larguer les amarres sans orientation précise, comme on va se perdre à vau-l'eau en perdant
de vue le rivage.* Ulma était de ceux-là, toujours
en porte-à-faux, s'interrogeant perpétuellement sur
leur place parmi les vivants. J'avais d'autant plus
d'affinités avec elle. Nous étions parfois paralysés à
force de raffiner. Lou stigmatisait mon penchant à
subtiliser. Je me complaisais trop à me sonder, au
lieu d'être dans l'action. Je n'étais pas un fonceur,
moi qui jadis avais pourtant la gagne. Mes lectures,
selon Lou, avaient renforcé ma propension à chercher la complication. En avançant en âge, j'avais de
plus en plus une prédilection pour les auteurs qui
étaient en désaccord avec leur temps et mettaient le
doigt sur ce que chacun se cachait à lui-même. Je
ne lisais plus autant qu'avant, mais je prisais encore
les œuvres corrosives, qui fournissaient matière à
tout révoquer en doute. Je me replongeais souvent
dans les récits que j'avais appréciés, jeune. C'était
une façon de lutter contre la vieillerie en retrouvant
les délicieuses sensations qui avaient été les miennes
lorsque je n'avais pas vingt ans. Je prêtais à Ulma
les livres qui m'avaient fait tel que j'étais, ces livres
que Lou jugeait démoralisants, ne comprenant pas
comment je pouvais y puiser des leçons de vie. Ce
que je n'avais pas partagé avec ma femme, je le donnais à ma sœur. Je ne me déprenais pas tout à fait
de Lou, mais avec Ulma j'étais plus au diapason.

Mon examen de conscience touche à sa fin. Je
n'ai chargé personne, je ne crois pas avoir manqué
de sincérité, je ne me suis pas prévalu de ma sub-
tilité d'esprit, je sais que je n'ai pas la lucidité des

vieux sages, que je suis mort sans être parvenu à la quiétude. La lettre d'Ulma avait provoqué un séisme. J'étais hors de moi d'allégresse et d'ivresse sensuelle. Je ne me reconnaissais plus. D'un seul coup, je cessais d'être ce quadragénaire chloroformé par la routine, qui ne réussissait pas à se désencroûter. Je rends grâce à Ulma de m'avoir métamorphosé. Avant elle, j'avais glissé petit à petit dans une sorte de léthargie, en n'en ayant pas une perception distincte, car ma vie ne me paraissait pas dénuée de sens. Si je n'avais connu, avec Ulma, la griserie qu'il y avait à être amoureux de sa demi-sœur, je n'aurais pas changé mes habitudes, je n'aurais pas vu à quel point je faisais piètre figure, en n'ayant que des préoccupations au ras des pâquerettes – l'argent du ménage, les impayés, les trous dans ma comptabilité, mes gueules de bois... Je me noyais dans les détails pratiques, comme si le mariage était forcément synonyme de platitude. Lou et moi n'avions pas la bonne formule pour nous dépêtrer de cette monotonie. Elle disait qu'il fallait poétiser, j'ignorais ce qu'elle entendait par là : la couvrir de fleurs, ne jamais avoir une mise ni des manières débraillées, soulever le moins souvent possible les questions matérielles, lui chanter sur tous les tons qu'elle était mon rayon de soleil, lui envoyer par SMS des couplets pétrarquisants, lui ménager des surprises, comme de réserver une cabine à bord de l'Orient-Express, ou de rechercher ses anciens condisciples afin de les convier à son anniversaire ? Je n'ai rien fait de tel. Le temps avait coulé sans que j'aie rectifié l'idée qu'elle avait de ma personne. Tout, chez moi, était pour elle prévisible. Et elle ne se serait certes pas attendue à ce que je m'engoue de ma demi-sœur et que je sois à deux doigts d'abandonner le domicile conjugal. Elle n'en était que plus bouleversée. Elle qui n'avait guère été cahotée par le destin, encaissait mal l'affront. Elle était en droit de se venger, même si ce n'était vraisemblablement pas son but. Je suis convaincu qu'elle ne m'a pas tué de volonté délibérée. Elle a juste eu un moment d'aberration. Espérons que les juges ne seront pas inexorables.

Je me suis retiré du jeu, comme l'a écrit Laure dans son calepin. Sans moi, peut-être que tout rentrera dans l'ordre après cette année tumultueuse. Les trois femmes qui ont représenté tant de choses à mes yeux apprendront à vivre en ne m'accordant qu'une pensée de loin en loin, car si elles entretenaient le souvenir d'un mort, elles auraient la plus grande peine à tourner la page. Un ou deux ans encore et elles ne seront plus plongées dans le deuil. Lou sera blanchie, Laure fera une école d'arts, Ulma relira mes mails pour se rafraîchir la mémoire, tout en se disant qu'il ne faut pas remuer ce tas de cendre qu'est le passé. Elles n'iront plus sur ma tombe, car cela leur coûtera trop. Laure n'écrira plus dans son journal : *Van était comme ci, Van était comme ça.* Elle gardera ses carnets comme gages de son attachement pour moi, mais ce sera tout. Lou se trouvera un autre compagnon, elle gagnera au change, puisque j'ai été un mari inconstant et que je lui ai causé du tourment. Malgré elles, toutes trois feront table rase de ce qui les empêche d'avancer. La vie reprendra le dessus, une mue s'opérera en elles, le temps viendra où, sans être amnésiques, elles se projetteront vers le futur, où elles s'éveilleront à de nouvelles exaltations. La terre ne s'arrêtera pas de tourner parce que j'ai trépassé. Ulma sera toujours la sœur qui m'avait follement aimé, mais elle ne ressassera pas d'inutiles regrets, Lou ne sera pas jusqu'à ses soixante ans une *veuve inconsolable*, Laure vivra dans le présent, elle est trop jeune pour se pencher indéfiniment sur le drame qui avait eu lieu.

Mes ultimes paroles s'envoleront. Il ne restera de moi qu'une stèle et deux dates : 1963-2010, peut-être quelques lettres que Lou et Ulma conserveront. Je ne suis désormais qu'une ombre entre les ombres. Je n'ai donc plus qu'à me taire, à me réciter, en guise d'épitaphe, ces vers : *Je veux jusqu'à ma tombe qu'on me calomnie / Je veux qu'après ma tombe encore on me nie*, ou à me persuader que je n'errerai pas aux enfers comme un damné toujours perdu entre l'Orient et l'Occident.

Table

Au cœur de la nuit

Van 11
Ulma 33
Lou 55
Laure 69

Aube

Van 81
Lou 95
Laure 107
Ulma 123

Midi

Lou 145
Laure 163
Van 177
Ulma 195

Crépuscule

Laure 217
Lou 235
Ulma 249
Van 263

Réalisation : Nord Compo à Villeneuve-d'Ascq
Impression : CPI Firmin-Didot à Mesnil-sur-l'Estrée
Dépôt légal : août 2012 . N° 2165-2 (114273)
Imprimé en France